BAJKI
terapeutyczne

Maria Molicka

BAJKI
terapeutyczne

część 2

MEDIA RODZINA

Projekt okładki
Jacek Pietrzyński

Na okładce wykorzystano rysunek
Ewy Poklewskiej-Koziełło
© Wirtualna Polska

Rysunki dziecięce wykorzystane w książce pochodzą ze zbiorów własnych
Autorki

ISBN 83-7278-099-4

Harbor Point Sp. z o.o.
Media Rodzina
ul. Pasieka 24, 61-657 Poznań
tel. 827-08-50, faks 820-34-11
e-mail: mediarodzina@mediarodzina.com.pl
www.mediarodzina.com.pl

Druk i oprawa
ABEDIK, Poznań, ul. Ługańska 1

Spis treści

Wstęp

Oddaję do rąk Państwa kolejne bajki terapeutyczne, przeznaczone dla dzieci w wieku od czterech do dziewięciu lat. Być może niektórzy z was spytają: czy one dzieciom są naprawdę potrzebne, czy nie wystarczą znane baśnie lub inne opowiadania? Ja jednak jestem przekonana, że dzieci ich niezwykle potrzebują. Z wielu powodów, przede wszystkim dlatego, że bardzo silnie przeżywają wszelkie trudne sytuacje, bardzo długo je pamiętają i może się tak zdarzyć, że położą się one cieniem lęku i smutku nie tylko na latach dzieciństwa, ale również wpłyną negatywnie na późniejsze sposoby reagowania emocjonalnego. Silnie przeżywając sytuacje trudne, dzieci tkwią jakby w pułapce, z której nie potrafią się wydostać, bo najczęściej nie umieją opowiedzieć o swych problemach, zwrócić się o pomoc. Nie znają też strategii radzenia sobie, a lęk rośnie i rośnie — szczególnie ten niezwerbalizowany, nie do końca uświadomiony, a taki jest właśnie w tym okresie rozwoju. Zdarza się, że dziecko zalewane silnymi emocjami reaguje gwałtownie. Nie tylko nie rozumie swego zachowania, również nie akceptuje go u siebie, widząc dezaprobatę dorosłych. Wówczas przypisuje winę innym dzieciom, zabawkom. Zachodzi proces projekcji, obwinianie innych za własne zachowania czy pragnienia. Dzieci w sposób jednostronny rozumieją sytuację czy własne zachowania, mają przecież mniej wiedzy, mniej doświadczenia życiowego. One dopiero uczą się siebie i świata.

W przeciwieństwie do dorosłych, dzieci nie otrzymują tak potrzebnego wsparcia społecznego, ponieważ, jak powiedzieliśmy wyżej, nie potrafią mówić o swoich problemach, lękach, także nie znają słów pozwalających opisać doznania. Nie rozumieją swoich uczuć i reakcji, a więc nie mogą prosić o pomoc w ich wyjaśnieniu. To my, dorośli, obserwując, bawiąc się, czy rozmawiając z dzieckiem, możemy dowiedzieć się, co budzi jego przerażenie, wyzwala niepewność, czego mu brakuje i w jaki sposób próbuje znaleźć rozwiązanie; możemy także pomóc mu zrozumieć emocje, jakich doświadcza.

Lęki rodzą się z przeżytych uprzednio silnych, negatywnych zdarzeń, doświadczeń często nazywanych traumami, takich jak na przykład poddanie zabiegom leczniczym, w szczególności bólowym, do których dziecka nie przygotowano, pozostawienie w nieznanym otoczeniu, śmierć ukochanego zwierzątka i wiele, wiele innych. Siła oddziaływania tych trudnych sytuacji zależy głównie od wieku dziecka, jego odporności psychicznej i rodzaju sytuacji.

Inne lęki powstają z wyobraźni niewłaściwie stymulowanej, na przykład przez filmy epatujące grozą.

Jeszcze inne rodzą się na bazie niezaspokojonych potrzeb, one też sprzyjają powstawaniu lęków związanych z rozwojem wyobraźni dziecka. Te najważniejsze potrzeby w toku rozwoju dziecka to potrzeba bezpieczeństwa, miłości i uznania.

Lęk związany z potrzebą bezpieczeństwa dotyczy głównie sytuacji zagrażających egzystencji, a więc takich jak burza, głód, ból, ciemność, obecność dzikich zwierząt. U małych dzieci lęk ten wyzwala brak kontaktu z bliską osobą (lęk separacyjny).

Niezaspokojona potrzeba miłości rodzi lęk przed porzuceniem i odrzuceniem. Brak uznania, brak sukcesów prowadzi do lęków przed wyśmianiem, kompromitacją, przed sytuacjami nowymi, które to zagrożenie sygnalizują.

Lęki dziecka, które pojawiają się najpóźniej w rozwoju, mają swoją genezę w negatywnej samoocenie, która jest częścią obrazu własnej osoby. Ten obraz to jakby zwierciadło, w którym dziecko się ogląda. Jednak nie tylko powierzchowność znajduje tam odzwierciedlenie, lecz także cechy psychiczne: umiejętności i ich ocena, cała wiedza o sobie oraz emocje z tym obrazem związane. Obraz siebie samego jest w okresie dzieciństwa niestabilny, zależny od chwilowego sukcesu lub porażki. Dlatego też, by uniknąć utrwalenia się negatywnego obrazu własnej osoby, należy stopniować zadania, jakie przed dzieckiem stawiamy, by umożliwiać mu przeżywanie sukcesów. To wszystko sprzyja późniejszemu tworzeniu realistycznego i pozytywnego obrazu siebie. Sprzyja też budowaniu odporności psychicznej. Zręby tego obrazu kształtują się już w wieku przedszkolnym i młodszoszkolnym. Jeśli jest on negatywny, to przejawia się jako męczące doznawanie stałego zagrożenia, stałej niepewności siebie, wyników własnych działań, kontaktów z innymi. Negatywna samoocena w tym okresie rozwoju uwarunkowana jest głównie niezaspokojoną potrzebą miłości (widocznie nie jestem jej wart), jak i brakiem sukcesów, brakiem uznania w oczach otoczenia, a później i własnych.

Doznawanie silnych lęków prowadzi do wykształcenia się lękowej osobowości, a także często do pojawienia się objawów nerwicowych, które są patologicznymi strategiami radzenia sobie z niepokojem (szersze omówienie tych zagadnień znajdziecie Państwo w mojej książce zatytułowanej *Bajkoterapia. O lękach dzieci i nowej metodzie terapii*).

Powszechnie wiadomo, że w radzeniu sobie ze stresem, głównie z sytuacjami zagrożenia, pomaga m.in. właściwe rozumienie sytuacji, znajomość wzorów działania, w tym umiejętność poszukiwania wsparcia społecznego, świadomość własnych reakcji i poczucie własnej skuteczności.

Od dzieciństwa do późnej starości rozwiązujemy różne trudne sytuacje; przejściowe kryzysy nie staną się emocjonalnymi zaburzeniami, jeśli potrafimy się z nimi uporać, to znaczy rozwiązać je tak, by służyły budowaniu korzystnego obrazu siebie. Dzieje się to dzięki umiejętnościom, które kształtują się już u progu życia.

Czytając czy opowiadając bajki terapeutyczne dotyczące różnych trudnych sytuacji życiowych, których nie sposób ominąć, wspieramy w sposób niedyrektywny, obrazujemy różne sposoby rozumienia jednej i tej samej sytuacji, przedstawiamy wielość sposobów reagowania, tych efektywnych i nieefektywnych, satysfakcjonujących i niesatysfakcjonujących.

Dziecko poznaje nieprzyjemne wydarzenia w bezpiecznej sytuacji. Oswaja się z nimi, bo je rozumie i zna strategie radzenia sobie. To, że akcja rozgrywa się w świecie umownym, bajkowym, a nie realnym, powoduje, że nie czuje się w żaden sposób sterowane, manipulowane. Wzory działania, jakie wybierze, zależą przecież wyłącznie od niego.

Wsparcie poprzez bajki terapeutyczne jest ważne dla każdego dziecka, ponieważ pomagają one właściwie zinterpretować wiele różnych sytuacji życiowych. Wiedza, także ta magiczna, ma za zadanie ułatwić dziecku rozumienie najróżnorodniejszych sytuacji, a także zapoznanie się z nowymi, nieznanymi strategiami działania. Pozwala uświadomić emocje i sposoby działania tak, by później dziecko łatwiej rozwiązywało trudności, które napotka na swej drodze. Otrzyma wsparcie poprzez zrozumienie dręczących je niepokojów, odnajdzie w treści swe przeżycia, emocje, myśli i jak w lustrze zobaczy, że inni podobnie odbierają świat, przez co znajdzie akceptację swoich odczuć i siebie. Może wyrzucić z siebie zalegające emocje, może wypłakać się, wyżalić, zezłościć. Doświadczy współczucia w atmosferze intymności.

Bajki te także pomogą dziecku zrekompensować to, czego mu najbardziej brakuje, poprzez utożsamianie się z bohaterem bajkowym. W świecie bajkowym dziecko otrzymuje to, co jest najważniejsze dla niego, co pozwala normalnie się rozwijać i żyć: bezpieczeństwo, miłość i uznanie. Utożsamiając się z bohaterem bajkowym, razem z nim odniesie sukces, który pomaga w kształtowaniu dobrej samooceny, wywołuje zadowolenie, a tym samym służy budowaniu pozytywnego obrazu samego siebie. Odnajdzie znowu nadzieję, która pomaga budować optymistyczny świat i odraczać oczekiwania natychmiastowej realizacji pragnień. Przeżyje różne przygody, wróci ze świata bajkowego do rzeczywistości bogatsze i przede wszystkim spokojniejsze.

Bajki terapeutyczne są źródłem określonych obrazów w wyobraźni dziecka i w ten sposób doraźnie wywołują pozytywne emocje, są również pożywką dla rozwoju imaginacji, i jak już wspomniano, mają wpływ na myślenie o sobie głównie w aspekcie kompetencji, budują bowiem poczucie własnej skuteczności. Dzieje się tak na przykład w bajce dotyczącej lęku przed dentystą, gdzie postacie rycerza-lekarza i giermka-małego pacjenta są istotne dla stworzenia obrazu, a rycerz i giermek współdziałając, walczą z wrogiem próchnicą. Utrwalenie takiego obrazu będzie sprzyjało myśleniu o leczeniu zębów jako koniecznej czynności. Dziecko, uwolnione od lęku, przeżywa sytuacje, z którymi lepiej radzi sobie zarówno w wyobraźni, jak i potem w rzeczywistości. Można więc oczekiwać, że pójście do dentysty stanie się dla niego wyzwaniem, które łatwiej zaakceptuje.

Jakie sytuacje zostały określone jako „trudne emocjonalnie" w niniejszym wydaniu bajek? Są to: pojawienie się nowego dziecka w rodzinie — konkurenta w walce o uczucia rodziców, śmierć ulubionego zwierzątka, wizyta u dentysty, adopcja, lęk przed duchami, odrzucenie przez grupę rówieśniczą, niewłaściwe zachowanie i przeżywanie przez to lęku i wstydu. Są również sytuacje, które mogą stać się szczególnie traumatyczne, a więc rozwód lub separacja rodziców, przemoc fizyczna, psychiczna, seksualna. W poprzedniej książce, również zatytułowanej *Bajki terapeutyczne dla dzieci*, sytuacjami emocjonalnie trudnymi były pobyt w przedszkolu, zgubienie się, pozostanie samemu w domu, kompromitacja spowodowana zmoczeniem się i łakomstwem, przebywanie w ciemnym pokoju, pobyt w szpitalu, także zabieg chirurgiczny okaleczający, ale ratujący życie, pierwsze dni pobytu w nowej szkole, nadużywanie alkoholu przez jedno z rodziców. Wszystkie te wyżej wymienione sytuacje, a także wiele innych, powodują lęk. Wybrałam właśnie te, bo większość z nich jest typowa; dziecko w toku rozwoju może spotykać się z takimi sytuacjami i może zareagować silnym lękiem.

Bajka terapeutyczna, która porusza temat zagrożenia utratą miłości rodziców w momencie pojawienia się małego brata, nosi tytuł „O laleczce, która była klaunem".

O lęku przed porzuceniem mówi także bajka, która dotyczy rozwodu rodziców, zatytułowana „Zwaśnione pory roku". Lęk przed bólem u dentysty przedstawia utwór „Rycerz i jego giermek". Nieznane i nierozumiane, a przez to rodzące lęk sytuacje i pojęcia omówione zostały w bajkach „Domek na drzewie" (śmierć ukochanego zwierzątka), „Kurek i Kwaczuś" (adopcja), „Duch krecik" (strach przed duchami). Trudności szkolne i odrzucenie w grupie rówieśniczej znajdziemy w opowiadaniu zatytułowanym „Karolina w krainie baśni". O lęku wywołanym niewłaściwym zachowaniem, które jest wyrazem niespełniania oczekiwań rodziców, mówi bajka zatytułowana „Piłeczka". O przemocy fizycznej, psychicznej i seksualnej mówią „Kamień i łódka", „Wilczek i jego przyjaciel króliczek" oraz „O odważnej dziewczynce i złym czarowniku".

Bajki dotyczące separacji rodziców czy też przemocy pomogą rodzicom i terapeutom w pracy z dzieckiem. W żaden sposób jedna bajka nie rozwiąże jednak magicznie tych tak skomplikowanych dla dorosłych, a cóż dopiero dla dziecka problemów. Na czym zatem polega terapeutyczna rola tych bajek? Chcąc wyjaśnić ten problem, musimy przywołać wskazania terapeutów, jakie kierują do rodziców podejmujących decyzję o rozwodzie. Niektóre z nich mówią o potrzebie rozmowy z dzieckiem, by umożliwić mu mówienie o uczuciach, lękach, które w ten sposób można rozproszyć lub przynajmniej obniżyć. A więc udzielenie odpowiedzi na pytania: gdzie będę mieszkał?, co się ze mną stanie po waszym rozwodzie? — i oczywiście na wiele innych. Niewskazane jest również obarczanie dziecka przekazywaniem informacji między rodzicami, nawet wydawałoby się nic nieznaczących, jak np. „powiedz tatusiowi, by oddał moje książki", ponieważ w ten sposób zostaje ono wciągnięte w spory między dorosłymi i odbiera negatywne emocje. Staje się stroną w konflikcie, a ono przecież pragnie kochać obydwoje rodziców. Takie sytuacje sprzyjają budowaniu różnych lęków, wstydu, poczucia winy za zaistniałą sytuację. W tym okresie dobrze będzie zainteresować dziecko czymś nowym i w ten sposób „odbarczyć" jego myśli. Dobrze jest też pokazać mu, że rozwód lub separacja mają także pozytywne strony. Czy to nie brzmi paradoksalne? Czy to jest sensowne i możliwe? Tak. Separacja lub rozwód może uniemożliwiać eskalację kłótni, wrogości, agresji. Jest rozdzieleniem, które pozwoli i matce, i ojcu dalej być dobrymi rodzicami, przebywać z dzieckiem i zachować spokój. Właśnie ten aspekt postrzegania rodziców jako tych, którzy wprawdzie nie mogą być razem, ale mogą dalej być blisko ze swoimi dziećmi, został w bajce wyeksponowany. Ma on pomóc dzieciom pogodzić się z tym, co się wydarzyło w ich domu, na co nie miały żadnego wpływu. Innym dzieciom, których taka sytuacja bezpośrednio nie dotyczy, pomoże zrozumieć takie zdarzenia, co przyczyni się też do tego, że z mniejszym niepokojem reagować będą na każdą sprzeczkę czy nawet kłótnię rodziców oraz lepiej będą rozumiały sytuację rodzinną dzieci, które tego doświadczyły.

Dzieci krzywdzone, ofiary przemocy czy to fizycznej, psychicznej, czy seksualnej, doświadczają najróżniejszych negatywnych emocji — lęków, wstydu, poczucia winy, gniewu, a także bezradności. Zdają sobie sprawę, że w żaden sposób nie mogą zmienić biegu wydarzeń, wstydzą się tego, że są bezsilne, wstydzą się za bliskich, za dorosłych. Czują się krzywdzone i niezrozumiane, cierpią też fizycznie. Ta bezradność wobec przemocy dorosłych zaburza poczucie własnej wartości, dziecko formułuje negatywne przekonania na własny temat. Jest przekonane, że nie potrafi, nie umie, wszystko, co robi, jest niewłaściwe, w końcu, że jest złe. Często dochodzi do zmian w obrazie siebie, nawet do rozdwojenia osobowości. Niestabilność bądź negatywny obraz siebie powoduje silną frustrację, często uzewnętrznianą w formie autoagresji, w dewiacyjnych zachowaniach, takich na przykład, jak ucieczki z domu, uzależnienia, ryzykowne zachowania seksualne, przestępczość, przemoc. Te zachowania są wołaniem o pomoc, zwracaniem na siebie uwagi, a jednocześnie często sposobem przeniesienia zemsty na innych lub siebie. Bezradność może również prowadzić do depresji.

Ofiara przemocy wchodzi w narzuconą rolę, i w okresie późniejszym, w dorosłym życiu, nierzadko staje się agresorem lub ponownie ofiarą. Nie ulega zatem wątpliwości, że dzieci te wymagają terapii. W bajkach ta pomoc polega na uwalnianiu dziecka od poczucia winy, co sprzyja otwartości, mówieniu o tym, co się wydarzyło, pobudza tym samym do działania. Sprzyja to odbudowaniu stabilnego obrazu siebie opartego o pozytywne doświadczenie skuteczności w ujawnianiu zdarzenia, o możliwości przeciwdziałania, o znaczenie wsparcia ze strony innych. Prawdopodobnie tylko około 28 procent dzieci mówi o doznanej przemocy seksualnej, cała milcząca większość poddaje się i cierpi, tak więc, zachęcanie do mówienia o swoich doznaniach, do aktywnego przeciwstawiania się, obrony siebie jest bardzo ważne. Z kolei w bajkach dotyczących przemocy fizycznej i psychicznej zwrócono uwagę nie tylko na rolę aktywności w kierowaniu własnym życiem, ale i przyjaźni, która może kompensować złe doświadczenia wyniesione z domu rodzinnego.

W prezentowanych bajkach odnajdą Państwo metafory i symbole. Dzięki nim dziecko może odnaleźć własne odczucia, samodzielnie odkryć i zrozumieć swoje problemy. Przejście przez krainę nocy czy pobyt w podziemiach to metafora problemów, z jakimi musi sobie poradzić. W bajkach mówiących o separacji rodziców czy o rywalizacji, która może towarzyszyć pojawieniu się nowego dziecka w rodzinie, pokazano trudny proces radzenia sobie z odrzuceniem czy porzuceniem, bo właśnie tak interpretują te wydarzenia dzieci. Doświadczanie negatywnych emocji i radzenie sobie z nimi jest niezwykle trudnym zadaniem, tym bardziej, że rodzice często zmuszają dziecko do odgrywania roli zadowolonego czy szczęśliwego z faktu posiadania rywala — stąd symbol maski klauna. Szczęśliwi przecież ich nie noszą. Ogrom przeżyć, z którymi dziecko sobie nie radzi, powoduje, że wchodzi w obce sobie role, by tylko otrzymać to, czego potrzebuje najbardziej. W tych trudnych chwilach często i dziecko, i rodzice oddalają się od siebie. W rezultacie dziecko jest zagubione i samotne. Ucieczka to wyraz tego zagubienia i poszukiwanie uznania u innych, by poczuć swoją wartość. Dziecko także musi poradzić sobie z negatywnymi emocjami — złością, poczuciem krzywdy, winy, byciem gorszym. W bajkach tych odnajdzie swoje uczucia, uświadomi je sobie, zdobędzie wiedzę, że można sobie z nimi radzić, i doświadczy zastępczego sukcesu, co pozwoli mu odzyskać wiarę w siebie i poczucie własnej wartości. Cóż jest tym sukcesem? Akceptacja faktu narodzin nowego dziecka i znalezienie sobie właściwego, nowego miejsca w rodzinie. W innej bajce jest nim zrozumienie, że rodzice nie mogą być razem i że możliwe jest wypracowanie kompromisów. Symbole pór roku mają za zadanie ułatwić zrozumienie tych niełatwych problemów, które są trudne dla rodziców, ale stokroć trudniejsze dla dzieci. Z kolei bajka „Karolina w krainie baśni" metaforycznie przedstawia rolę literatury w udzielaniu pomocy dzieciom potrzebującym sukcesu, tego niezbędnego lekarstwa pozwalającego dowartościować się, zrekompensować braki. Bajka „Piłeczka" przedstawia bohatera, który nie może sprostać wymaganiom rodziców, ponieważ jest bardzo ruchliwy, przez co powoduje niezamierzone szkody, które są dlań obciążeniem psychicznym. Bajki mówiące o przemocy czy to fizycznej, czy seksualnej, kierowane do ofiar przemocy, poprzez metafory ukazują drastyczne wydarzenia, dla pozostałych dzieci natomiast czytelne jedynie jest

13

przesłanie, że nie należy ufać wszystkim, że należy być ostrożnym w kontaktach, bo w świecie bajkowym, jak w życiu, są dobrzy, ale też i źli czarodzieje. Metafora rozdzielania dziewczynki przy pomocy lustra, czego dokonuje zły czarownik, na tę, która pamięta wydarzenia, ale jest niemową, i tę, która nic nie pamięta, ale potrafi mówić, ma na celu uwolnienie dziecka, ofiary przemocy seksualnej, od poczucia winy spowodowanej tym, że ukrywało wstydliwie informacje i nie od razu o wszystkim opowiedziało bliskim.

Jak wspomniano wyżej, bajki terapeutyczne są sposobem wspierania dziecka w jego rozwoju, zapobiegają lękom bądź obniżają napięcie w konfrontacji z nieoczekiwanymi zdarzeniami.

Należy stosować je w profilaktyce. Przygotowują do spotkania z sytuacją trudną, jak np. wizyta u dentysty, śmierć ulubionego zwierzątka, lęk przed duchami, pojawienie się rywala w postaci brata czy siostry, czy nawet przed takimi wyjątkowo traumatycznymi sytuacjami, jak rozwód czy przemoc w rodzinie. Argument, że czyjeś dziecko jest jedynakiem lub że sytuacja rozwodu, adopcji, przemocy go nie dotyczy i w związku z tym opowiadania te nie są mu potrzebne, nie jest, moim zdaniem, zasadny. Wiele dzieci doświadcza traumatycznych zdarzeń — może to być kolega z ławki syna czy koleżanka córki z podwórka. Nasze dziecko skuteczniej wówczas pomoże sobie, mając zrozumiały, racjonalny obraz sytuacji, jak i, być może, innym dzieciom, rozumiejąc lepiej sytuacje, których doświadczają.

Bajki te są pomocne również, gdy dziecko znajduje się w sytuacji trudnej lub gdy przez nią przeszło. Dzięki nim zrozumie to, co się wydarzyło, przeanalizuje własne emocje. Ułatwi to ich racjonalizację i w konsekwencji obniży lęk. Polecam je głównie rodzicom i nauczycielom uczącym w przedszkolu i klasach od pierwszej do trzeciej. W rękach terapeutów mogą być również pomocne w procesie leczenia.

Czy bajki te także w czymś pomogą dorosłym? Myślę, że tak — pomogą zrozumieć świat dziecka, jego duże i małe problemy, poznać sposób reagowania, myślenia, co jest warunkiem porozumienia, bycia tak naprawdę razem. Dla dzieci nie ma większej radości niż wspólnie z rodzicami spędzane chwile, a czytanie czy opowiadanie są jednym ze sposobów, by nawiązać bliską więź, dać bezpieczeństwo, miłość i akceptację, a także pomóc dziecku w budowaniu odporności psychicznej, siły do zmagania się z różnymi sytuacjami, które staną się pozytywnym wyzwaniem, a nie będą oznaczały porażki, klęski, straty.

To, że warto dzieciom czytać książki, powszechnie wiadomo, i wiem też, że nie muszę Państwa do tego przekonywać. Mam natomiast nadzieję, że zachęciłam do lektury bajek terapeutycznych. Jeśli tak, to zapraszam do jak najczęstszego przebywania razem z dzieckiem w tym królestwie wyobraźni.

Bajki terapeutyczne

Kurek i Kwaczuś

Mały kurczak mieszkał w wielkim kurniku wraz z całą swoją rodziną. Miał tatę — dużego koguta, mamę — małą kurkę i rodzeństwo — równie jak on małe kurczaczki. Obok ich kurnika były i inne, gdzie mieszkały kaczki i indyki. Kurniki były piętrowe i tworzyły wysokie bloki. Za nimi rozpościerała się łąka, która z jednej strony ciągnęła się aż do lasu, a z drugiej do stawu. Kurczak był małą, żółtą kuleczką, która przed kilkoma dniami wykluła się z jajka. Dzisiaj, jak dorosłe koguty, dumnie zadzierał łebek, spacerując przed kurnikiem. Bacznie przyglądał się kaczuszkom i kurczakom, jakby szukał przyjaciela. Małe bawiły się w piaskownicy albo biegały wokół ławeczek, na których siedziały ich mamy i babcie. Kurek, bo tak miał na imię kurczaczek, poszedł dalej, minął kurnik i zatrzymał się na skraju łąki. W oddali rósł las. Wierzchołki drzew poruszane wiatrem pochylały się tak, jakby zapraszały do odwiedzin.

Bardzo bym chciał wybrać się tam, odkryć nowe, nieznane miejsca, przeżyć niezwykłe przygody. Może znalazłbym zakopany głęboko w ziemi skarb lub zaprzyjaźnił się z dzikim zwierzakiem? — myślał Kurek.

— Sam jednak tam nie pójdę, ale gdybym miał przyjaciela, tobym się nie bał nic a nic, ho, ho — powtórzył głośno, jakby chciał dodać sobie odwagi.

— Ho, ho — odezwał się ktoś obok. Kurczak rozejrzał się zdziwiony i dopiero teraz zauważył, że przy nim stoi mały kaczorek.

— O, ty chyba mnie przedrzeźniasz — powiedział lekko zagniewany. Zadarł łebek do góry, tak wysoko, jak tylko potrafił, i już miał odejść, gdy usłyszał:

— Ja ciebie nie przedrzeźniałem — cichutko powiedział kaczorek.

Może z nim wybrałbym się do lasu? — pomyślał nagle kurczak. Machnął skrzydełkiem na zgodę i spytał:

— Będziemy razem się bawić?

— Czemu nie? — odparł kaczorek.

Kurek przyjrzał mu się uważnie — był malutki, cały żółciutki, ale taki chudy, jak to kaczuszkom się nie zdarza. Na czubku głowy czupurnie sterczały mu piórka.

— Ja mam na imię Kurek, a ty? — spytał.

— Kwaczuś. — I jak dorosłe kaczki na powitanie zaklaskał dziobem.

— Mieszkasz tutaj? Nigdy cię na podwórku nie widziałem — powiedział Kurek.

— Nie — odparł Kwaczuś niechętnie, jakby ociągając się.

— A skąd przyjechałeś? — dopytywał się dalej Kurek.

Kwaczuś poruszył nerwowo skrzydełkami i dziobem, ale nie odpowiedział. Odwrócił się, jakby chciał wrócić do kurnika.

Widząc to, Kurek szybko zaproponował:

— Zbudujemy szałas, ale nie tutaj. Tam, pod lasem. To będzie nasz własny dom. Chcesz?

Kwaczuś zapalił się do tego pomysłu, gdzieś zniknął jego niepokój i niechęć do rozmowy. Podskakiwał zadowolony i powtarzał:

— Zbudujemy szałas, nasz dom, hurra! hurra!

Kurek i Kwaczuś pobiegli, ile sił w nogach, przez łąkę w kierunku lasu. Wiał lekki wiaterek, wokół rozchodził się słodki zapach kwiatów. Nie zatrzymywali się jednak nawet na chwilę, by odpocząć. Wkrótce byli już na skraju lasu.

— Z czego go zbudujemy? — spytał Kwaczuś, rozglądając się wokół.

— Zobacz, ile jest tutaj gałęzi. To z nich zbudujemy szałas, a potem obłożymy mchem. Nic nam nie zrobi deszcz czy wichura — mówił Kurek.

— Robiłeś to już kiedyś? — zapytał Kwaczuś, z uznaniem patrząc na kolegę.

— Nieee, ale na pewno mam się uda. O, tutaj zbudujemy, pod tym dębem — powiedział, pokazując pazurkiem okazałe drzewo.

Z zapałem zabrali się do pracy. Po chwili gałęzie były ustawione tak, że tworzyły szałas.

— Boki należy umocnić kamieniami, by wiatr nam nie zburzył siedziby — stwierdził Kurek, z zadowoleniem oglądając ich wspólne dzieło.

Kwaczuś, ocierając pot z czoła, zbierał wielkie kamienie i umacniał nimi konstrukcję. Kurczak w tym czasie obkładał ściany mchem.

Nareszcie skończyli, szałas był gotów na przyjęcie mieszkańców.

— Uf, uf — powtarzali zmęczeni, jednak bardzo zadowoleni ze swojej pracy.

Słońce powoli chowało się za chmury, zaczęło się

ściemniać. Kurek rozglądał się dookoła, drzewa rzucały długie cienie na ziemię, wiatr groźnie szarpał gałęziami. Nagle zrobiło się chłodno i tak jakoś nieprzyjemnie.

— Wracamy do domu — zakomenderował. W tym czasie Kwaczuś wszedł do wnętrza szałasu.

— Mama i tata czekają na nas — tłumaczył Kurek, widząc, że ten ani myśli wychodzić.

— Jutro tutaj wrócimy — przekonywał. Kwaczuś jednak dalej pozostawał w środku.

— Ja wracam.

Te słowa ostatecznie zmobilizowały kaczorka. Wyszedł wolno z szałasu. Pobiegli w stronę swoich domów. Kurek już z daleka zobaczył mamę i stojącą obok dużą kaczkę. To pewnie mama Kwaczusia — pomyślał.

— Jak to dobrze, że już jesteście, tak bardzo się martwiłyśmy! — zawołała mama Kurka, załamując skrzydła.

— Bawiliśmy się tam, pod lasem — tłumaczył kurczak.

Kwaczuś milczał, jego mama wzięła go pod swoje skrzydło i odeszła.

Tymczasem mama Kurka nadal robiła mu wyrzuty:

— Czy nie mogłeś mnie uprzedzić, że wybierasz się na łąkę z kolegą? Niepokoję się, szukam, lamentuję.

Kurek przytulił się do mamy i wyszeptał:

— Przepraszam.

Wrócili do kurnika. Tato kogut siedział już przy stole i dziobem nakładał na talerzyki pożywienie dla domowników.

— Gdzie on się podziewał? — spytał z przyganą w głosie, gniewnie patrząc na kurczaka.

— Wybrał się, z tym, no wiesz... z tym adoptowanym kaczorkiem na łąkę.

— Adoptowanym? A co to znaczy? — bardzo zaciekawiony nieznanym określeniem pytał Kurek.

— A coś ty taki ciekawski? — powiedziała mama i dziobnęła go boleśnie w szyję.

Dlaczego nie chce mi wyjaśnić? — myślał zdziwiony kurczak.

— Umyć dziób i do stołu — zakomenderował tato.

Kurek wiedział, że to nie pora na pytania. To jakaś tajemnicza sprawa. Jutro dowiem się wszystkiego — postanowił.

Rano rozległo się radosne pianie kogutów, kwakanie, gdakanie. Kurek zerwał się z posłania i wyjrzał przez okno. Pogoda zapowiadała się wspaniała, niebo było bezchmurne, jasno świeciło słońce. Jego myśli krążyły wokół szałasu, kaczorka i tajemniczego słowa.

— Mamo, czy po śniadaniu mogę pójść pobawić się na łąkę z Kwaczusiem? — zapytał, wpadając do kuchni.

— Proszę, bardzo proszę — mówił, przymilając się.

— No, dobrze, ale nie wracaj zbyt późno — powiedziała mama.

Usiadł przy stole. Jadł szybko, połykając duże kawałki chleba.

— Oj, oj, rozboli cię brzuszek — upominała mama, widząc jego zachowanie.

O nie, gdy tyle ważnych spraw jest do załatwienia, nie chciał zachorować. Zaczął jeść wolniej, ale co chwilę podchodził do okna, by sprawdzić, czy kaczorek jest już na podwórku. Nagle zobaczył Kwaczusia, który zadzierał łebek do góry, jakby go szukał.

— Tu jestem! — Pomachał skrzydełkiem i wybiegł z mieszkania. Przeskakiwał po dwa stopnie, by jak najszybciej znaleźć się obok przyjaciela.

— Dobrze, że jesteś — powiedział zdyszany Kurek.

— Idziemy do szałasu? — spytał Kwaczuś.

— Oczywiście — odparł kurczak. I już po chwili biegli przez łąkę, w kierunku lasu. Szałas zastali nienaruszony. Weszli do wnętrza; było tam chłodno i ciemno. Nieliczne promienie dostawały się do środka i skąpo oświetlały wnętrze.

— Tutaj możemy odpocząć i spokojnie porozmawiać — powiedział Kurek.

Kwaczuś pokiwał głową na znak, że się zgadza. Kurczak nabrał powietrza i zbierając się na odwagę, powiedział:

— Mama mówiła, że jesteś adoptowany. Co to znaczy?

Zaległa cisza. Po dłuższej chwili Kwaczuś odpowiedział cichutkim głosem:

— Wiesz, ja też tego tak dokładnie nie rozumiem i nie wiem, kogo zapytać, bo... bo nikt nie chce na ten temat ze mną rozmawiać. Ja, ja... — tu zaczął się jąkać — martwię się tym i boję się, bo nie wiem, co to znaczy. Nie wiem, co to znaczy być adoptowanym, czy mama i tata mnie kochają, czy ja do nich należę i już zawsze będę z nimi? To tak trudno wytłumaczyć, ale bardzo się boję i jest mi smutno.

Kurek zobaczył łzy w oczach kaczorka, który szybko przetarł je skrzydełkiem. Zaległa cisza. Kwaczuś siedział osowiały.

Ktoś musi znać odpowiedź, ktoś musi wiedzieć, co to znaczy — myślał kurczak.

Wyszedł z szałasu. Nad głową usłyszał: stuk, puk, stuk, puk. Zadarł łebek do góry i zobaczył dzięcioła uderzającego w pień drzewa.

— Panie dzięciole, panie dzięciole! — zawołał. — Czy pan wie, co znaczy słowo adoptowany?

— Nie — odpowiedział dzięcioł.

— A kto by mógł wyjaśnić? — nie dawał za wygraną Kurek.

— Hmmm... myślę, że sowa, która zjadła wszystkie rozumy, tak, ona na pewno będzie znała odpowiedź.

— A gdzie ją mogę spotkać? Gdzie ona mieszka? — dopytywał się kurczak.

— Idź prosto, miniesz zagajnik, potem maleńką polanę i tam na dużym dębie będzie jej dziupla.

— Dziękuję! — krzyknął uradowany Kurek i pobiegł do Kwaczusia, który dalej siedział smutny w szałasie.

— Idziemy szukać sowy, dzięcioł powiedział, że ona wszystko wie i na pewno nam wytłumaczy, co znaczy słowo adoptowany! — mówił uradowany.

Pobiegli, kierując się wskazówkami dzięcioła. Minęli zagajnik, potem polankę i zaczęli rozglądać się za dziuplą sowy. Wtem usłyszeli pohukiwanie: hu, hu, hu.

— To chyba ona — powiedział Kurek.

— Sowo, sowo! — wołał kurczak.

— Kto mnie woła? — rozległo się tuż nad ich głowami. Zadarli głowy i zobaczyli sowę w wielkich okularach na dziobie.

— To my: Kurek i Kwaczuś! Przyszliśmy do ciebie, ponieważ wiemy, że jesteś najmądrzejsza. Chcemy cię o coś zapytać.

Sowa poprawiła okulary na nosie; było jej miło, że tak o niej myślą.

— Dobrze, pomogę wam — odparła. — Jednak musicie wiedzieć, że to nie ja jestem najmądrzejsza.

— A kto? — spytał zaciekawiony Kurek.

Alicja Szuta, lat 6

— Najmądrzejsze są moje książki, tam znajduję odpowiedzi na wiele pytań. — Wejdźcie — zaprosiła ich do środka.

Kurek i Kwaczuś popatrzyli na siebie; nie, oni nie potrafią pofrunąć tak wysoko. Stali bezradni. Sowa zrozumiała problem bez wyjaśnień i nagle przed ich dziobami pojawiła się drabinka zrobiona ze sznurka. Kurek skoczył na nią pierwszy i po chwili obaj byli już w dziupli sowy. Sowa mieszkała w długim pomieszczeniu wypełnionym książkami; na ścianach stały regały, na krzesłach leżały książki, wszędzie książki i książki.

— Czego chcielibyście się dowiedzieć? — spytała sowa, zdejmując z krzeseł książki i robiąc im miejsce.

— Chcielibyśmy zapytać, co to znaczy być adoptowanym — odpowiedział Kurek.

— Zaraz, zaraz, gdzie ja to znajdę — zastanawiała się sowa, przesuwając różne książki na stole. — O, tutaj jest — powiedziała uradowana. Zwracając się do Kurka i Kwaczusia, mówiła dalej: — Ta księga jest najmądrzejsza, tutaj znajdziemy odpowiedź na wasze pytanie.

Zaczęła przewracać strony i szukać hasła. Po chwili, wskazując pazurkiem, powiedziała:

— Tutaj jest wyjaśnienie.

Kurek i Kwaczuś pochylili się nad księgą i sylabizując, przeczytali:

— A-dop-cja.

— Musimy się tam wybrać — powiedziała sowa.

— Ale gdzie? — spytał kurczak.

— Musimy iść do krainy książki; nie wystarczy przeczytać wyjaśnienie, to za mało. Trzeba tam pójść, zobaczyć, by później samemu zrozumieć — tłumaczyła sowa. Zabrzmiało to bardzo tajemniczo: pójść do krainy książki.

— A jak to można zrobić, czy ty możesz nas tam zaprowadzić? — pytał bardzo zainteresowany Kwaczuś.

Kurek spojrzał na niego ze zdziwieniem. Do tej pory się nie odzywał, widocznie bardzo mu zależy, by dowiedzieć się, co znaczy to tajemnicze słowo — pomyślał.

— A czy potem wrócimy tutaj? Ja nie mogę zostać tam długo, bo mama bardzo by się niepokoiła — mówił Kurek.

— Nic wam się nie stanie, wrócimy na czas, będę się wami opiekowała — uspokajała sowa.

Spojrzeli na siebie i zgodnie zdecydowali:

— Idziemy.

Sowa usiadła na książce, i w miejscu, gdzie widniało hasło adopcja, zaczęła pocierać dziobem. Robiła to bardzo delikatnie, jakby rozciągając stronę. W pewnej chwili kartka pofałdowała się i ich oczom ukazał się mały otwór. Sowa intensywnie, ale delikatnie rozsuwała dziurkę, szerzej i szerzej. Zajrzeli do środka i zobaczyli dróżkę wijącą się wśród zieleni. Sowa pierwsza przecisnęła się przez otwór, a za nią ruszyli Kwaczuś i Kurek. Znaleźli się na drodze.

— Jak tutaj pięknie! — zawołali, rozglądając się dookoła. Rzeczywiście, otoczenie było bardzo ładne, wśród trawy kwitły kwiaty, które mieniły się kolorami tęczy. W oddali rosły wysokie drzewa. Było tak jak na ziemi, ale jednak inaczej. Tutaj wszystkie kolory były intensywniejsze, mocniej też pachniały kwiaty, nawet słońce świeciło cieplej i przyjemniej.

Szli za sową, która widocznie znała drogę, bo nie rozglądając się, szybko podążała w znanym sobie kierunku. Doszli do wysokiego muru i wielkiej bramy. Sowa wyciągnęła klucz, który po chwili zazgrzytał w zamku.

Wielkie drzwi uchyliły się i ich oczom ukazał się dziwny świat: cały różowy — takie było i niebo, i ziemia, a nawet roślinki, wszystko było różowe. W powietrzu unosiły się małe stworzonka przypominające ptaki, oczywiście też różowe.

— Czy one nas widzą? — spytał sowę Kurek.

— Nie, jesteśmy dla nich niewidzialni. One widzą tylko to, co jest różowe.

— A co z adopcją? — przypomniał sowie Kwaczek.

— Poobserwuj rodzinę różowych, o, tych pod drzewem, a wszystko zrozumiesz.

Kurek i Kwaczuś podeszli bliżej do stworzonek i zaczęli im się przyglądać.

Zobaczyli, jak dwa duże stworzenia wdmuchiwały powietrze w dzióbek najmniejszego, które stopniowo coraz bardziej różowiało i różowiało.

— Ojej, oni go chyba w ten sposób odżywiają — powiedział Kwaczuś, pokazując pazurkiem na maleństwo.

— Może nie tylko — odezwała się sowa, po czym ruszyła przed siebie. Podążyli za nią. Po chwili znaleźli się przed dziwną budowlą, bardzo niską, zbudowaną ze szkła, a więc przezroczystą. Pokrywał ją półkolisty dach. Zbliżyli się do tego budynku i to, co zobaczyli, kolejny raz ich zdumiało. W środku aż roiło się od maleńkich, bladych stworzonek, które wyciągały chude szyjki w jednym kierunku i żałośnie piszczały. Kurek popatrzył tam, gdzie one, i zobaczył, że co chwilę do budynku wchodziły duże różowe i zabierały te, które stały najbliżej wejścia. Zanosiły maleństwa pod drzewa i rozpoczynało się wdmuchiwanie różowości.

— Czy wszystkie zostaną zabrane? — spytał Kwaczuś.

— Tak — odparła sowa.

— Czy to są ich rodzeni rodzice? — pytał dalej bardzo tym wszystkim poruszony i zaciekawiony.

— Nie, tutaj w tej krainie nie jest ważne, kto zniósł jajeczko, z którego wykluło się stworzonko. Rodzicem zostaje się, gdy wdmuchuje się różowość, aż do momentu, gdy dziecko stanie się różowe. Wówczas jest już dorosłe.

— A czy to szybko można zrobić? — pytał znowu Kwaczuś.

— O nie, to trwa długo i wymaga wiele wysiłku — cierpliwie tłumaczyła sowa.

— A czy zawsze się im udaje tak nadmuchać, by maleństwo zrobiło się różowe, czy może czasem się to nie udaje i musi ono wrócić do tego szklanego domu? — pytał dalej Kaczorek.

Jaki on się zrobił rozmowny — pomyślał Kurek. Spojrzał na Kwaczusia, który aż zaczerwienił się z przejęcia. Już, już chciał z niego zażartować, ale ugryzł się w język. To dla niego ważna sprawa — pomyślał.

— Nie, tutaj nie ma zwrotów — powiedziała sowa. — Jeśli są kłopoty z dmuchaniem, to inni rodzice uczą tej umiejętności.

— To znaczy, że wszyscy tutaj są adoptowani?

— Jedni tak, a inni nie, to nie jest takie ważne. Najważniejsze jest to, by dzięki dmuchaniu stać się różowym.

Kaczorek zamyślił się. Wrócili pod to samo drzewo. Zobaczyli, jak już lekko zaróżowione stworzonko próbowało fruwać. Rodzice wykorzystywali każdy moment, by dalej mu wdmuchiwać różowość.

— Już wszystko rozumiem — powiedział Kwaczuś.

— A ja nie, ja dalej nic nie rozumiem! — wykrzyknął Kurek. — Proszę mi wytłumaczyć.

— Pora wracać, jeśli nie chcecie tutaj nocować — powiedziała sowa.

— Oj wracajmy, moja mama będzie się denerwować! — zawołał Kurek.

— Moja też, wracajmy — wtórował mu Kwaczuś.

Wrócili znaną sobie drogą i tak jak poprzednio znaleźli się na ścieżce.

Czy ona znajdzie wyjście? — pomyślał zaniepokojony kurczak. Sowa jednak dobrze znała drogę. Podeszła do białego obłoczku nisko zwisającego nad ich głowami, który wyglądał jak mała plamka, i zaczęła go rozciągać. Po chwili wczołgiwali się już do dziupli.

— Dziękujemy za wszystko — powiedzieli, pomachali jeszcze skrzydełkami na pożegnanie i zeszli po drabince na dół.

Ściemniało się. Biegli, co sił w nogach. Mała polanka, zagajnik i już byli przy szałasie. Zadyszani biegli dalej. Na łące czekały na nich mamy. Z radością wpadli im pod skrzydełka.

— Za długo trwają te wasze zabawy, oj, za długo. Bardzo się niepokoiłyśmy — powtarzały. — Ach te nasze niesforne dzieciaki — mówiły i gładziły skrzydełkami pociechy. Kwaczuś wychylił główkę spod skrzydła mamy i zawołał:

— Wdmuchiwanie różowości!

Wtedy Kurek zrozumiał. Radośnie odpowiedział:

— Wdmuchiwanie różowości.

Na pożegnanie pokiwali do siebie skrzydełkami. Z mamami wracali do swych mieszkań.

Tato Kurka siedział już w kuchni i przygotowywał kolację.

— Już rozumiem, co znaczy słowo adopcja! — krzyczał Kurek od drzwi. — To jest kochanie. I nie jest ważne, czy własne jajko się wysiedziało, czy też zabrało z wylęgarni.

Kogut spojrzał na kurę i z uznaniem pokiwał głową.

— Jakie mądre są teraz te kurczaki — powiedział.

Rycerz i jego giermek

Pewnego słonecznego dnia Krzysia rozbolał ząb. Pobiegł szybko do mamy, wołając: boli, bardzo boli! Oczekiwał, że mama, wszystkowiedząca osoba, zaradzi temu. Poprosiła, by otworzył buzię i pokazał miejsce, gdzie czuje ból.

— No tak — powiedziała i pokiwała z troską głową.

— Niestety, nie mogę pomóc, tylko lekarz dentysta zaradzi.

— Dentysta, a kto to jest? — spytał zaniepokojony Krzyś.

— Specjalista od leczenia zębów — wyjaśniła mama.

— Ale czy to leczenie boli? — dopytywał się dalej pięcioletni chłopiec.

— Na pewno mniej niż czekanie, aż zrobi się stan zapalny albo ropień; wtedy niestety chory ząb bardzo boli. By tego uniknąć, musimy szybko wybrać się do gabinetu stomatologicznego, najlepiej zaraz.

— Do gabinetu, gabinetu — powtórzył Krzyś i wydawało mu się, że zabrzmiało to groźnie.

Mama dalej spokojnie tłumaczyła:

— Lekarz obejrzy zęby i oczyści specjalnym wiertłem chore miejsce, położy lekarstwo i ząb będzie wyleczony. Oczywiście po bólu nie będzie ani śladu.

— A jeśli nie uda się go wyleczyć? — pytał Krzyś dociekliwie.

— To niestety konieczna będzie ekstrakcja.

— A co to takiego ta ekstra kuracja?

— Nie ekstra kuracja, tylko ekstrakcja — zaśmiała się mama, jakby to było coś śmiesznego — czyli usunięcie chorego zęba, żeby nie zatruwał organizmu.

— Usunięcie, czy ja dobrze słyszę: usunięcie? — dramatyzował Krzyś, załamując ręce.

— Krzysiu, czy ty nie przesadzasz? — mówiła żartobliwie mama, nie zwracając uwagi na przerażoną minę syna.

W końcu to nie jej ząb — pomyślał. I po chwili dodał:

— Po zastanowieniu się stwierdzam, że ząb mnie nie boli i nie musimy wybrać się do tego, no, jak to się nazywa — z trudem przypominał sobie słowa — gabinetu stomatologicznego.

— Jak uważasz — powiedziała mama. — Ale jeśli zmienisz zadanie, to ja jestem do dyspozycji.

— Do dyspozycji, do dyspozycji — powtórzył Krzyś po cichu, przedrzeźniając mamę, gdyż tak naprawdę był rozdrażniony, bo ząb go dalej bolał i bolał. Ale iść do dentysty nie miał zamiaru. Strasznie bał się leczenia, a być może i usunięcia zęba.

Poszedł do swojego pokoju. Usiadł na kanapie, przytulił się do starego misia. Jak ty masz dobrze, że jesteś zupełnie bezzębny — pomyślał, patrząc na niego. Po czym ziewnął raz i drugi, oczy same mu się zamykały i zasnął.

Czy ja śnię, czy to dzieje się naprawdę? — pomyślał, słuchając, jak stara komoda rozmawia z misiem.

— Wiesz, Krzyś ma kłopot, boli go ząbek — mówił miś.

— Oj, to trzeba jak najszybciej do lekarza dentysty.

Nie wolno czekać, nie wolno — powtórzyła. — Spójrz na mnie — mówiła dalej. — Widzisz te ślady po kornikach, te małe dziurki, które wygryza to robactwo? Ja też muszę być leczona, inaczej zostanę oszpecona bezpowrotnie, nie zostanie śladu po mojej wyjątkowej urodzie — to mówiąc, westchnęła. — Nikt lepiej niż ja tego nie rozumie.

Zaskrzypiała głośno, chcąc podkreślić wagę tego, co powiedziała.

Co robić, co robić, by namówić Krzysia na wizytę u dentysty? — zastanawiał się zmartwiony miś.

— Jesteś jego starym przyjacielem, musisz jakoś pomóc — mówiła dalej komoda.

— Ależ ja to rozumiem, nie wiem tylko, jak przekonać Krzysia, który bardzo boi się bólu. Wiem, że jak ząb go tak straszliwie rozboli, to i tak pójdzie do dentysty, ale wtedy na ratowanie zęba może być za późno — ponuro stwierdził miś.

— A może w krainie zabawek jest jakiś lekarz leczący zęby i on by przekonał Krzysia? — podsunęła pomysł komoda.

— To dobra myśl. Pójdę go poszukać, nie mogę zostawić przyjaciela bez pomocy.

Słysząc te słowa, Krzyś odezwał się:

— Przepraszam, ale usłyszałem waszą rozmowę i sądzę, że dobrze byłoby pójść tam razem. Zawsze we dwóch będzie raźniej, a poza tym warto dowiedzieć się czegoś więcej o leczeniu zębów. Mam nadzieję, że nie bierzecie mnie za tchórza, bo ja nic a nic się nie boję, tylko nie lubię być niedoinformowany.

— Aha, niedoinformowany — wolno powtórzył zdziwiony miś.

— Gdzie możemy spotkać tego lekarza? — pytał wyraźnie zainteresowany Krzyś.

— W sklepie z zabawkami na pewno będzie miał swój gabinet. Musimy się pospieszyć, bo zwykle bywa tam wielu pacjentów.

— To ty już byłeś u niego? To dlatego jesteś bezzębny! — z triumfem zawołał chłopiec.

— Nie, ja nigdy nie miałem zębów, ale byłem tam z Kenem. Wiesz, tym od Barbie.

— No to chodźmy, prowadź — powiedział Krzyś i ruszyli.

Mama zajęta była sprzątaniem, czyściła dywan odkurzaczem, i mimo że przechodzili bardzo blisko, nie zauważyła ich, tak jakby byli niewidzialni.

Wyszli z domu i znaleźli się na ulicy. Miś szedł przodem, a Krzyś podążał za nim. Minęli kilka domów i znaleźli się przed wielkim sklepem z zabawkami. Z witryny pomachały do nich misie, a lale uprzejmymi gestami zapraszały do środka. Weszli. Na wszystkich półkach stały samochody, piłki, samoloty, statki, nawet pokoiki i domki dla lalek, ale nigdzie nie zobaczyli gabinetu stomatologicznego.

— Może sprzedany? — zmartwił się miś, ale po chwili wykrzyknął: — O tam, na drugiej półce jest lekarz, ma słuchawki na uszach i biały fartuch, może on nam powie, gdzie przyjmuje dentysta. Zaczekaj tutaj, ja się zaraz wszystkiego dowiem!

Krzyś po chwili zobaczył, jak sprawnie wchodzi na półki. Już po chwili rozmawiał z lekarzem. Niestety, Krzyś nie dosłyszał o czym, bo w sklepie było bardzo głośno.

Po powrocie powiedział:

— Mamy szczęście, ostatni gabinet jest na zapleczu, ale dzisiaj będzie już odwieziony do klienta, musimy się pospieszyć.

Wpadli do magazynu. Biegli między wielkimi regałami zapełnionymi zabawkami. Nagle przed jednym zatrzymała ich grupka zabawek.

— Czy tutaj przyjmuje dentysta? — spytał drżącym głosem Krzyś.

— Tak, tutaj, ale jest kolejka, musicie zaczekać — powiedziała niezbyt uprzejmym tonem jedna z pacjentek.

Aha, tutaj wcale nie jest tak łatwo się dostać — pomyślał Krzyś.

— Czy panowie są umówieni na wizytę? — spytała, zwracając się do nich mała laleczka w białym fartuszku.

— Jestem higienistką i pracuję z lekarzem dentystą — wyjaśniła.

Krzyś stropił się i nie wiedział, co powinien odpowiedzieć. Na szczęście miś go uprzedził.

— Nie, nie jesteśmy umówieni, ale ten pacjent — tu wskazał łapką na Krzysia — bardzo cierpi i już nie może doczekać się wizyty.

Trochę przesadził — pomyślał Krzyś i powiedział: — Nie, nie, właściwie to wcale mnie ząb nie boli, ja tylko przyszedłem tutaj dowiedzieć się, jak pracuje lekarz dentysta.

Pielęgniarka nie była zdziwiona tym wyjaśnieniem. Zwróciła się do czekających:

— Państwo pozwolą, że teraz ten mały pacjent wejdzie do gabinetu. Jest z bólem — dodała.

W ten to sposób, nie spodziewając się takiego nagłego obrotu wydarzeń, Krzyś znalazł się w gabinecie. Miś lekko go popychał, a on wolno, bardzo wolno, ociągając się, wchodził. Gabinet był jasnym pomieszczeniem, w którym na centralnym miejscu stał fotel, nad nim stała zapalona lampa i jakaś maszyna z wiertłem zwisającym w dół. Lekarz miał na nosie wielkie okulary, a na twarzy maskę.

— Proszę, bardzo proszę — powiedział, wskazując fotel. Krzyś ostrożnie usiadł.

— A teraz pokażemy, co możemy z fotelem zrobić, by pacjentowi było wygodnie — rzekł lekarz, i po chwili jak w samolocie Krzyś to wznosił się do góry, to zjeżdżał w dół.

— Bardzo przyjemnie — powiedział uprzejmie, ciągle jeszcze bardzo przestraszony.

— A teraz poznasz narzędzia, które pozwolą nam usunąć te wstrętne bakterie niszczące twoje zęby. To jest nasza broń — tu wskazał na wiertło i metalową tacę, na której leżały różne szczypce, lusterka, stały małe buteleczki z lekarstwami.

— Nasza broń? — spytał zdziwiony Krzyś.

— Tak, nasza broń, bo ja jestem rycerzem, który walczy z podstępnymi, niewidzialnymi bakteriami, a ty moim pomocnikiem, giermkiem. Będziesz mi pomagał, bo bez ciebie nie wygramy tej bitwy z paskudną próchnicą. — To ty musisz otworzyć ich twierdzę, o tak, szeroko otworzyć buzię — tu otworzył jak najszerzej usta — byśmy mogli się do nich dostać.

— A... a czy to będzie bolało? — spytał przejęty Krzyś.

— To będzie bitwa z trudnym przeciwnikiem, lecz zastosowane metody walki nie są bolesne. Może jednak zdarzyć się, że trochę zaboli, ale tylko w wypadku, gdy wrogowie poczynili już głębokie szkody, poważnie uszkodzili mury obronne, czyli zęby, chroniące dostęp do wnętrza organizmu. To jest przecież prawdziwa wojna. Gdy poczujesz najmniejszy ból, podnieś rękę, wtedy wybierzemy inną strategię walki.

Dentysta mówił i wymachiwał wiertłem z zaangażowaniem; on już przygotowywał się do bitwy. Chłopiec pomyślał, że tak dłużej być nie może, by wstrętne bakterie się panoszyły i niszczyły jego zęby, czyli jak to mówił lekarz — mury obronne.

— Do walki! — zawołał odważnie.

Nagle zobaczył, jak lekarz zmienia się w rycerza, a on jest małym giermkiem. Otworzył usta szeroko, bo tam, w twierdzy — w zębach i między nimi — ukrywają się podstępne niszczycielskie bakterie. Trzeba się ich pozbyć, o tym był przekonany.

Rycerz najpierw obejrzał dokładnie pole bitwy i miejsca, gdzie pochowali się podstępni wrogowie.

— Tak, tak — mruczał pod nosem. — Widzę zniszczenia, jakie poczyniły. Kochany giermku, wywierciły liczne korytarze, jak korniki w meblu, chcąc zniszczyć zęby. Chciały ciebie uczynić bezbronnym, sforsować zęby, zniszczyć je i uczynić z nich swoje królestwo. Niedoczekanie.

— Niedoczekanie! — powtórzył Krzyś.

— Musimy postępować zdecydowanie. One nie lubią czystości, a więc po pierwsze, będziesz dokładnie mył zęby po wszystkich posiłkach i ograniczysz jedzenie słodyczy, bo one za nimi przepadają. Pozostawione resztki jedzenia przyciągają je jak muchy do miodu. A teraz oczyścimy ich kryjówki, zrobimy to, posługując się takim wiertłem — powiedział rycerz. — Potem założę lekarstwo, którego one też nie cierpią i dlatego uciekną, gdzie pieprz rośnie. Lek pozamyka ubytki, czyli szkody, jakie spowodowały, tak, że już tam się z powrotem nie zagnieżdżą. Co ty na to, mój dzielny giermku?

— Jestem z tobą, rycerzu — odpowiedział Krzyś i już po chwili pomagał lekarzowi, otwierając twierdzę. Ten czyścił i czyścił, aż do ostatniego korytarza, ostatniego śladu bakterii.

Lekarz założył lekarstwo. Ból ustąpił. Krzyś przepłukał usta. Rycerz-lekarz uścisnął rękę dzielnego giermka-pacjenta pomagającego wykurzyć obrzydłe bakterie, które wyrządziły tyle szkody i spowodowały ból.

— No, mam nadzieję, że od dzisiaj będziesz mnie częściej odwiedzał — stwierdził.

— Oczywiście, będę też dbał o czystość, by te bakterie znowu się nie zadomowiły w zębach. Będę pana często odwiedzał, by sprawdzić, czy chociaż jedna z nich nie dostała się do twierdzy i czegoś nie knuje.

— Zuch chłopak, a jaki mądry — pochwalił lekarz.

Wracając do domu, Krzyś uścisnął z wdzięcznością łapkę przyjaciela. Wbiegli do domu i...

Krzyś obudził się. Leżał na kanapie, a przy nim miś. Mama siedziała obok. Z troską spytała:

— Czy boli cię ząb?

— Nie — odparł Krzyś zgodnie z prawdą. — Ale chciałbym pójść do dentysty, bo nie chcę, by bakterie niszczyły mi zęby.

Mama spojrzała zdziwiona. Nie spodziewała się takiej odmiany. Pokiwała z zadowoleniem głową.

— Mądry ten mój syneczek, bardzo mądry — powtórzyła z uznaniem.

Domek na drzewie

Mała dziewczynka samotnie siedziała przy piaskownicy. Dzisiaj nie miała ochoty na zabawę. Wszystkie dzieci z sąsiedztwa powyjeżdżały na wakacje, tylko ona została w domu. Mama zajęta zaprawami i porządkami nie miała czasu na zabawę, tato wychodził do pracy rano i wracał wieczorem zmęczony, nie w głowie mu były żarty, przekomarzania się. Oganiał się od niej jak od natrętnej muchy, chował w fotelu za szpaltami gazet. Małgosia, bo tak na imię miała dziewczynka, rozglądała się dookoła, szukając towarzysza zabaw. Niestety, żadne dziecko się nie pojawiło.

Tymczasem na ławce usiadła staruszka. Miała chyba ze sto lat, tak była pomarszczona. Z kieszeni wyciągnęła cztery małe piłeczki i zaczęła je podrzucać. Wydawało się, że wszystkie wirują w powietrzu, unosząc się. Małgosia zadarła głowę; piłeczki wzbijały się wysoko, do samych chmur. I jeszcze, i jeszcze wyżej. Po chwili wszystkie zniknęły w obłokach. Ona chyba jest czarodziejką — pomyślała dziewczynka i zaciekawiona podeszła do ławki.

— Nudzisz się, prawda? — zagadnęła ją staruszka.

Na pewno jest wróżką albo czarodziejką, wie wszystko — pomyślała Małgosia. Odpowiedziała skinieniem głowy i podeszła jeszcze bliżej, po czym usiadła na brzegu ławki. Tymczasem stara kobieta wyciągnęła ze swojej torby puszkę i spytała:

— Czy tutaj są jakieś bezdomne kotki, bo chciałabym je nakarmić?

— Tak, jest jeden, ja często się z nim bawię, opiekuję się nim, daję mu mleczko — pochwaliła się Małgosia.

— To zaprowadź mnie do jego kryjówki — poprosiła niezwykła staruszka.

— Chętnie — oznajmiła dziewczynka i pokazała jej małego kotka, który siedział za drzwiami wejściowymi. Kobieta wzięła go na ręce.

— Ależ on jest chory, zobacz, jaki rozpalony, ma wysoką temperaturę — powiedziała z przekonaniem. — Zabieram go do siebie. Postaram się go wyleczyć, mam różne lekarstwa — powiedziała.

— A czy ja mogłabym pójść z panią? — spytała zainteresowana losem kotka dziewczynka.

— Oczywiście, o ile mama ci pozwoli.

— Proszę na mnie poczekać, pobiegnę i zaraz wrócę, proszę nie odchodzić, proszę poczekać! — mówiła z przejęciem Małgosia.

Pobiegła, co sił w nogach do domu.

Już od progu wołała:

— Mamo, mamo, czy mogę pójść z wróżką, to znaczy — poprawiła się — z tą staruszką do jej domu, bo kotek zachorował i ona będzie go leczyła. — Mogę? — prosiła, przymilając się do mamy.

Mama właśnie robiła zaprawy. Do niezliczonej ilości słoików wkładała ogórki i myślała tylko o nich.

— Gdzie się wybierasz? — zapytała nieuważnie. — Co to za wróżka? Wróżka? — powtórzyła zdziwiona.

— Nie, nie, to jest staruszka, która karmi koty — wyjaśniła szybko Małgosia, obawiając się, że mama nie wyrazi zgody.

— Muszę ją poznać — postanowiła mama.

Poprawiła ręką włosy, które zawsze sterczały jej na wszystkie strony, gdy robiła zaprawy, i wyszła przed dom.

— A, to pani, dzień dobry — powiedziała, jakby ją znała.

Wróżka skinęła głową i nie odpowiadając, pokazała mamie chorego kotka.

— Tak, tak, pomoc jest mu niezbędnie potrzebna — potwierdziła mama. — Możesz iść z panią, Małgosiu, i zająć się leczeniem kotka. Tylko nie wracaj zbyt późno — upomniała. Rzuciła jeszcze na odchodnym: — Do widzenia! — I pognała do swoich ogórków.

Dziewczynka spojrzała na staruszkę pytająco. Ta dalej nic nie mówiąc, ruszyła w drogę. Małgosia poszła za nią. Minęły wiele domów i znalazły się na skraju lasu.

— Tam jest mój dom, to już niedaleko — odezwała się w końcu staruszka, pokazując ręką drzewa.

Przeszły jeszcze kilkanaście metrów wijącą się leśną dróżką.

— To tutaj — powiedziała wróżka, stając przy wielkim drzewie.

— Ależ tu nie ma żadnego domu — powiedziała dziewczynka, ze zdumieniem rozglądając się dookoła.

— Spójrz w górę — powiedziała wróżka.

Rzeczywiście, na wielkim drzewie, a właściwie na jego pierwszej zwisającej nisko gałęzi, stał mały dom. Opierał się z jednej strony o pień, a z drugiej o liczne boczne gałęzie. Był cały zielony, tak że trudno było go zauważyć wśród liści.

— Jak się tam dostaniemy? — zastanawiała się dziewczynka, patrząc na gładki pień.

Tymczasem z rosnącego obok drzewa, a właściwie z jego dziupli wróżka wyciągnęła długą linę i rzuciła ją w górę tak sprawnie, jakby całe życie rzucała lassem. Zaczepiła ją o gałęzie i trzymając w jednej ręce kotka, wspięła się na górę.

— Zapraszam! — zawołała z góry.

Małgosia chwyciła linę i wspięła się bez trudu. Po chwili stała obok staruszki.

— Wciągnij linę i chodź — powiedziała wróżka.

Dziewczynka posłusznie wykonała polecenie i weszła przez otwarte drzwi do małego domku. Znalazła się w najdziwniejszym pokoju, jaki kiedykolwiek widziała. Na ścianach wisiały portrety psów i kotów, jak obrazy przodków w innych domach. Pod ścianą ustawiona była duża przeszklona szafa, w której znajdowały się przeróżne lekarstwa, tuż obok stała wielka kanapa pokryta ceratą. Na środku pokoju stał stół, a wokół krzesła wielkie jak fotele. Zasłona oddzielała następne pomieszczenia. Tam dalej jest chyba kuchnia i łazienka — pomyślała dziewczynka. Rozglądała się po pokoju. W łóżeczkach ustawionych pod ścianami siedziały kotki i pieski. Wszystkie były chore, bo jedne miały obandażowane łapki, inne zaplastrowane oczy i posmarowane kolorowymi maściami ogonki. Na widok wróżki podniosły łebki, radośnie piszczały, szczekały, miauczały. Hałas zrobił się nie do opisania.

— Już jestem, moje maleństwa — mówiła pieszczotliwie wróżka, uspokajając je. — Przyniosłam wam lekarstwa, smaczne jedzenie i nowego lokatora. Znalazłam chorego kotka. — Tu podniosła go do góry, przedstawiając w ten sposób pozostałym. — Spotkałam też małą pielęgniarkę, która, mam nadzieję, pomoże mi opiekować się wami — dodała.

Kotki i pieski słuchały jej uważnie, tak jakby wszystko rozumiały. Trzymając na ręku małego kotka, podchodziła po kolei do wszystkich chorych i witając się z nimi, głaskała pieszczotliwie.

— Nie mamy czasu na pieszczoty i zabawę, zabieramy się za leczenie — powiedziała do dziewczynki. — Potrzymaj kotka, musimy dokładnie go zbadać, by odpowiednio leczyć.

Małgosia delikatnie chwyciła zwierzątko, które cicho popiskiwało. Wróżka założyła słuchawki lekarskie na uszy i osłuchała kotka dokładnie. Po chwili włożyła termometr do pyszczka i mierzyła temperaturę.

— No, tak, no, no — zatroskała się. — On ma zapalenie płuc — powiedziała, pokazując dziewczynce temperaturę.

— Musimy mu podać antybiotyki. To poważna sprawa, bardzo poważna — powtórzyła zmartwiona stanem zdrowia kotka.

Podeszła do starej szafki, otwarła ją. Na półkach stały różne leki. Wzięła strzykawkę do rąk i rzekła:

— Musimy mu podać lek w zastrzyku. Przygotuj go do tego.

Małgosia nie wiedziała, co powinna zrobić. Popatrzyła na wróżkę, od niej oczekując podpowiedzi.

— Nie byłaś nigdy w szpitalu? — spytała wróżka.

— Byłam, ale bardzo dawno temu i niewiele pamiętam — usprawiedliwiała się dziewczynka.

— Rozumiem — mruknęła pod nosem wróżka. — Wytłumacz mu, dlaczego musi dostać zastrzyk i uprzedź, że troszkę zaboli.

— Dobrze — odparła Małgosia.

W tym momencie poczuła się prawdziwą pielęgniarką.

— Koteczku — powiedziała. — Musimy ci podać lek, który ci pomoże. Szybko wrócisz do zdrowia i znowu wesoło będziesz się bawił z innymi kotkami. Zadecyduj, w które miejsce podać zastrzyk, to znaczy w którą łapkę.

Kotek posłusznie wyciągnął łapkę.

— Czy jesteś już gotowy?

— Nnnie — zamiauczał.

— Dobrze, poczekamy. Powiedz, kiedy będziesz miał odwagę, by zmierzyć się z bólem nie większym niż ukłucie komara.

— No, dobrze, już — zadecydował kotek.

Wróżka podała mu zastrzyk i po chwili spokojnie spał.

— Bardzo dobrze sobie poradziłaś, jak prawdziwa pielęgniarka — pochwaliła wróżka Małgosię.

Dziewczynka była bardzo z siebie zadowolona. Nie miały czasu na rozmowy, trzeba było zmienić opatrunki chorym. Wreszcie bardzo zmęczone usiadły na moment na kanapie i już, już Małgosia chciała zadać wróżce kilka pytań, gdy ktoś zawołał z dołu. Wyjrzały przez okno. To mała sarenka prosiła o pomoc.

— Idź i zobacz, co się jej przydarzyło. Ja już nie mam siły.

Małgosia zsunęła się po linie i stanęła przed sarenką.

— Jak mogę ci pomóc? — spytała.

W odpowiedzi sarenka zgięła nóżkę i podniosła do góry kopytko, w którym tkwił duży cierń. Małgosia chwyciła go swymi delikatnymi paluszkami i wyrwała.

— Trzeba jeszcze wydezynfekować ranę — powiedziała fachowo. Ale sarenka tylko polizała kopytko i ruszyła z miejsca tak gwałtownie, że aż się zakurzyło.

Dziewczynka wspięła się po sznurze i wróciła do domu wróżki.

— Jest późno, pora wracać do domu — przypomniała Małgosi czarodziejka. — Bardzo bym chciała, byś jutro przyszła ponownie, jest tyle pracy. — Mówiąc to, rozłożyła wymownie ręce.

— Tak, przyjdę, bardzo chcę pomagać tym chorym zwierzątkom. Szczególnie martwię się o mego kochanego małego kotka — powiedziała Małgosia. — Do jutra! — zawołała i pobiegła do domu.

Wracała bardzo zadowolona, pomogła wielu cierpiącym. Jak bomba wpadła do domu i już od progu wołała:

— Mamo, tato! Czy wiecie, że jestem pielęgniarką, że pomagam... — Nie dokończyła, bo zobaczyła, że tato chowa się w fotelu i zakrywa się gazetami, a mama z zapałem zmienia pilotem kanały w telewizorze.

— Hmmmm, może ktoś mnie chociaż raz zapyta, ile słoików z ogórkami zaprawiłam? — powiedziała mama, znacząco patrząc na tatę. Ponieważ nie doczekała się odpowiedzi, zwróciła się do córki z pretensjami: — Cały dzień biegasz, nie pomagasz mi, a ja jestem taka zapracowana!

Tato słysząc to, wygrzebał się pod sterty gazet i rzekł:

— O, przepraszam, ja też cały dzień pracuję.

Był oburzony.

— Mówiłam to do Małgosi — wyjaśniła mama, zadowolona, że tato w końcu się odezwał.

Dziewczynka wyszła z pokoju. A niech się kłócą, byle mnie w to nie włączali — pomyślała. Usiadła przy stole i zaczęła jeść kolację. Jaki wspaniały dzień był dzisiaj. Jutro, jak tylko się obudzi, zaraz popędzi do wróżki. Mama będzie znowu zaprawiała te swoje ogórki i na pewno się zgodzi. Uśmiechnęła się do siebie i pomaszerowała do łóżeczka.

*

Rano nie mogła się doczekać spotkania z wróżką i jej zwierzętami, a przede wszystkim z chorym kotkiem. Pobiegła znaną sobie drogą i już po chwili stała pod drzewem, na którym był dom wróżki.

— Halo, halo! — zawołała.

— A, to ty, czekałam na ciebie — powiedziała ucieszona czarodziejka, wyglądając przez okno. Zrzuciła dziewczynce sznur, po którym ona szybko weszła do domku. — Jak kotek? — zapytała.

— Oj, oj, niedobrze — powiedziała wróżka. — Dalej ma temperaturę, jest jakiś osowiały. Martwię się o niego.

Małgosia pobiegła do łóżeczka, w którym leżał. Był bardzo słaby, ledwo otwierał oczy, nie ruszał się. Dziewczynka wzięła go w ramiona, przytuliła do siebie. Poczuła, że miał bardzo gorący nosek.

— Źle, niedobrze — powtarzała wróżka. — Podaj mu zastrzyk, o, tutaj jest jego lekarstwo — powiedziała, podając jej do rąk małą buteleczkę z antybiotykiem. Małgosia zakasała rękawy, nabrała płynu w strzykawkę i po chwili delikatnie zaaplikowała lek choremu. Nawet nie zapiszczał, taki był słaby.

— Teraz możesz go położyć do łóżeczka — powiedziała wróżka.

Jednak Małgosia nie chciała tego robić. Usiadła na kanapie i trzymała kotka w swoich rączkach, przytulając do siebie. Patrzyła na niego z troską, czekając na chwilę, kiedy jego stan się poprawi. Ale nie poprawiał się. W pewnej chwili kotek poruszył się i potem zastygł w bezruchu.

— Odszedł — powiedziała wróżka. — Niestety, nie udało się go uratować mimo twoich wysiłków. Urządzimy mu pogrzeb — dodała.

Małgosia zapłakała i ciągle przez łzy powtarzała: — Dlaczego, dlaczego?

— Choroba była tak ciężka, że nasze lekarstwa i wysiłki nie pomogły. Serduszko przestało mu bić, nie oddycha — tłumaczyła wróżka.

— Ale dlaczego nie udało się go uratować?

— Bakterie i wirusy okazały się niestety silniejsze niż nasze lekarstwa.

— Dlaczego on umarł? Dlaczego? — powtarzała zrozpaczona Małgosia. — Czy ty nie możesz użyć czarodziejskiej mocy, by go uratować?

— Nie jestem wróżką ani czarownicą, chociaż może wiem więcej niż inni ludzie, bo jestem bardzo stara i wiele przeżyłam, nauczyłam się i zrozumiałam — powiedziała staruszka.

— Dla mnie zawsze będziesz czarodziejką, wróżką, jesteś niezwykła — mówiła, połykając łzy dziewczynka. — Pomóż — prosiła.

— Życie ma swój kres. Wszystko, co żyje, musi kiedyś umrzeć — wyjaśniała spokojnie staruszka, też bardzo zmartwiona.

— To jest bez sensu, po co żyć, skoro jest śmierć, po co kochać, jeśli potem trzeba rozstać się, po co tak cierpieć? — mówiła rozżalona Małgosia.

Wróżka zastanowiła się.

— Może to, co tobie wydaje się bezsensowne, wcale

takie nie jest, może to nadaje życiu sens? Może smutek pozwala odczuć radość, może uczucia są jak kolory tęczy, rozkładają się różnorodnością, intensywnością doznań, jak barwy na niebie?

— Ja tego nie rozumiem — powiedziała ze smutkiem dziewczynka.

Za chwilę, jeszcze ciągle zapłakana, spytała:

— A teraz co się z nim dzieje, dokąd on odszedł?

— Usiądź koło mnie — poprosiła wróżka. — Musimy porozmawiać. Kotek poszedł do krainy wieczności albo krainy śmierci, jak mówią niektórzy. Nic go już nie boli, nie cierpi, zmierza do miejsca, gdzie panuje wieczny spokój.

— A co to jest za kraina? — spytała Małgosia.

— Nie wiem dokładnie, ale słyszałam od starszych ode mnie, że zwierzęta, a może i ludzie — ale tego nie wiem — przechodzą w swej ostatniej wędrówce przez krainę zimna, nie czują bólu, ulegają wychłodzeniu, następnie po zakopaniu ich w grobie schodzą niżej i niżej, dochodzą aż do samego środka ziemi, by potem wrócić tutaj, ale w zmienionej postaci. Stają się obłoczkami i pozostają już na zawsze w krainie wieczności.

— A czy tam jest im dobrze? Czy są szczęśliwe?

— Nie wiem — odparła wróżka. — Ale mówią, że tak, tam jest tak pięknie. Spójrz na niebo, niedługo pojawi się nowy obłoczek.

— A czy kotek czasem będzie mógł do nas przyjść? — spytała dziewczynka.

— Oczywiście, przyjdzie do ciebie w snach.

— A nie może w ciągu dnia? — spytała zawiedziona.

— Tam, w tej krainie wszyscy unoszą się w powietrzu, są chmurkami. Może go kiedyś wypatrzysz, jak

Magda Kubacka, lat 6

między innymi obłoczkami, płynie po niebie. Może ci się kiedyś przyśni, ale na pewno będzie żył w twoich dobrych wspomnieniach.

— To kotek już odszedł do krainy wieczności? — spytała Małgosia.

— Właśnie tam zmierza. Zobacz, jaki robi się zimny, już nic nie czuje, nic go nie boli, to znaczy, że jest już w krainie zimna.

— Rzeczywiście. — Małgosia dotknęła łapki kotka. Była zimna jak kawałek lodu.

— To co teraz musimy zrobić? — pytała trochę już uspokojona dziewczynka.

— Teraz musimy zakopać go w ziemi, by pomóc mu w wędrówce do krainy wieczności.

Małgosia zdjęła z rączki małą bransoletę z kolorowych koralików i włożyła kotkowi na szyjkę. Pięknie będzie tam w krainie wieczności wyglądał, poza tym chciała być pewna, że gdy przyjdzie do niej we śnie, to nie pomyli go z innym kotkiem. Teraz trzeba go pochować głęboko w ziemi, by nikt mu nie przeszkadzał w wędrówce do krainy wieczności.

Wyszły z domku, niosąc pięknie przybranego kotka. Wykopały głęboki dół. Potem dziewczynka powiedziała:

— Zawsze będziesz w moich myślach, kotku. — I zapłakała. Po chwili dodała:

— Wiem, że masz przed sobą długą drogę. Zmierzasz do krainy wieczności.

— Żegnaj — powiedziała wróżka i przytuliła Małgosię do siebie. Tak się odbyło pożegnanie kochanego kotka.

Wróciły do domku, a tu roboty huk, mały szczeniak wymiotował, a inny żałośnie piszczał, bo bardzo bolał go brzuszek. Zakasały rękawy i zabrały się do roboty. Na szczęście stan zdrowia wszystkich innych zwierzątek poprawiał się. Wróżka codziennie znosiła nowych chorych, których pielęgnowały bardzo troskliwie. Niestety zdarzało się, że nie udawało się wyleczyć chorego, ale wówczas dziewczynka już nie rozpaczała. Była zmartwiona, jednak rozumiała, że zwierzęta odchodzą do krainy wieczności, gdzie są szczęśliwe.

*

Przyjaźń dziewczynki i wróżki trwała kilka lat. Razem uratowały życie wielu zwierzętom.

Pewnego dnia pod domkiem na drzewie stanęła trumna. Małgosia zbliżyła się. W trumnie leżała czarodziejka. Dotknęła jej ręki. Była zimna. Wówczas przypomniała sobie jej słowa i pomyślała, że teraz jest już w krainie zimna, w drodze do krainy wieczności. Na końcu tej drogi czeka na nią kotek i inne zwierzęta. Tego była pewna.

Duch krecik

Piotruś był już dużym chłopcem. Chodził do przedszkola i to do najstarszej grupy. Miał starszego o dwa lata brata Tomka. Mieszkali w małym domku z rodzicami, których bardzo kochali, na jednym z osiedli, jakich jest bardzo wiele w każdym mieście. W swoim pokoju, który dzielił z bratem, miał Piotruś kolekcję wspaniałych samochodów. Był bardzo dumny z tego powodu. Posiadał auta wyścigowe, osobowe, ciężarowe, z przyczepami i bez, karetki, wozy strażackie i jeszcze wiele innych. Bardzo lubił się nimi bawić, ale zabawki, choćby najpiękniejsze, nie zastąpią przyjaciela, jakim może być małe zwierzątko. Marzył o piesku, który by zawsze dotrzymywał mu towarzystwa, chodził na spacery, bawił się. Ach, jakby to było cudownie biegać, mając takiego towarzysza! Kolega z przedszkola miał jamniczka, z którym często wychodził na spacery, ale nie pozwalał go nawet pogłaskać, jakby bał się, że pies pokocha kogoś innego. Piotruś tak bardzo pragnął pieska, obojętnie jakiego, nawet kundelka, brzydkiego, ale własnego. Bardzo by go kochał. Ale nie, to było niemożliwe. Westchnął ciężko. Mama zdecydowanie zabraniała kupna psa. Próbował namówić tatę, ale i on był temu przeciwny. Znikąd pomocy. Brat miał swoje rybki, a on nic.

Wrócił właśnie z przedszkola. Poszedł do swego pokoju i usiadł na dywanie. Samochody raz po raz błyskały światłami, jakby go chciały zachęcić, zaprosić do wspólnej zabawy, ale on nie miał na to wcale ochoty. Marzył o psie.

— Piotrusiu, Piotrusiu! — zawołała mama.

Niechętnie wyszedł ze swego pokoju i wszedł do kuchni, gdzie mama stojąc przy piecu, przygotowywała obiad.

— Syneczku, proszę, przynieść mi z piwnicy słoik z przecierem pomidorowym — powiedziała.

— Brrrr... z piwnicy? — zapytał Piotruś.

Obleciał go strach. Tam jest ciemno, nieprzyjemnie, i Tomek mówił, że tam są duchy. Przypomniał sobie, co opowiadał, że one straszą, gdy jest ciemno. Co dokładnie robią, tego nie wiedział, ale czuł, że tam, gdzie one przebywają, jest strasznie.

— Nieee, nie mam teraz czasu — próbował się wykręcić.

Mama spojrzała na niego ze zdziwieniem.

— A czym to jesteś tak zajęty, że nie masz czasu? — spytała.

— No... bo... ja mam wiele różnych pomysłów i właśnie teraz... ja... — plątał się w wyjaśnieniach, ale absolutnie nie chciał przyznać się mamie, że się boi duchów. Obawiał się, że go wyśmieje, a tego by nie chciał za nic w świecie. Powie: Jakie duchy, ach ty mój mały osiołku, jeszcze wierzysz w takie bzdurki — i machnie lekceważąco ręką. A inni? Dopiero by sobie z niego żarty robili, a szczególnie Tomek. O nie, na to nie mógł pozwolić. Lepiej udawać lenia.

Po chwili dodał, jakby wyjaśniając:

— Dzisiaj nic mi się nie chce. Nie gniewaj się na mnie. — I już zamierzał wyjść z kuchni, gdy usłyszał:

— Ty pewnie boisz się tam pójść, co syneczku? — zapytała mama.

— Ależ skąd! — powiedział, udając oburzenie. — Ja się nie boję — powtórzył z naciskiem.

— No to w takim razie marsz do piwnicy — powiedziała mama i wróciła do swych zajęć.

Trzeba się ratować — myślał gorączkowo. Najlepszy sposób na mamę, to oczywiście zająć ją rozmową na trudny dla niej temat. Zapytał więc:

— Dlaczego nie mogę mieć psa?

— Wyjaśnię jeszcze raz, dlaczego, jak już wrócisz ze słoikiem z piwnicy — powiedziała zdecydowanym tonem mama.

Nie działały na nią dzisiaj nawet sprawdzone sposoby. Cóż było robić. Piotruś ruszył w kierunku schodów prowadzących do piwnicy. Otworzył drzwi i zaczął wolno schodzić w głąb.

Było ciemno, niewiele światła sączyło się przez małe okienko i otwarte drzwi. Nagle coś zaskrzypiało i drzwi zamknęły się z trzaskiem. Piotrusiowi włosy zjeżyły się na głowie. Serce zabiło jak oszalałe w piersi i ugięły się pod nim nogi. Odwrócił się i pędem przeskoczył po dwa stopnie w górę, pchnął drzwi. Nie chciały się otworzyć. Szarpał raz i drugi, wydawało mu się, jakby ktoś z drugiej strony przytrzymywał je siłą. Ale kto? Mama by nigdy tego nie zrobiła, natomiast Tomek i owszem, ale jeszcze był w szkole. To na pewno te duchy, o których wspominał brat.

Co robić, co robić? Myśli goniły jedna drugą. Usiadł na górnym stopniu wystraszony, nie potrafił ani wołać o pomoc, ani płakać.

Zaległa cisza. Po chwili usłyszał cichutkie piszczenie

i skrobanie po kamiennej podłodze, potem odgłosy powtórzyły się. Chłopiec wstał i ponownie próbował otworzyć drzwi. Wydawało mu się, że usłyszał, jakby ktoś przekręcał klucz w zamku. Może to Tomek wrócił i tak się z nim zabawia? Tak, to chyba on. Nie, nie będzie wołał pomocy, o nie, poradzi sobie.

Usiadł i znowu usłyszał te dziwne dźwięki. Ciekawość zwyciężyła. Bardzo ostrożnie schodził w dół. Nareszcie stanął na podłodze w piwnicy. Było to duże pomieszczenie, wzdłuż ścian ciągnęły się półki, na których leżały dawno nieużywane przedmioty: jakieś siatki do tenisa stołowego, piłki, narty, buty, garnki, puszki, puste słoiki, oparty o półki stał stary rower, który tato miał naprawić, ale jakoś to nigdy nie nastąpiło, i były tam jeszcze inne rzeczy, wiele zupełnie niepotrzebnych. Spokojniej rozglądnął się dookoła, szukając miejsca, z którego mogły dochodzić odgłosy. I nagle ponownie usłyszał popiskiwanie. Już, już chciał uciec, gdy zdał sobie sprawę, że głos jest bardzo cichutki, słaby, jakby ktoś wołał o pomoc. Zatrzymał się więc i nasłuchiwał.

Głos dochodził spod okna, było jednak tam tak ciemno, że Piotruś nic nie widział, mimo iż wytężał wzrok. Wolno zbliżył się, krok po kroczku. Znalazł się pod samym oknem, schylił się i w kąciku dostrzegł małe czarne zwierzątko, zupełnie nieprzypominające ducha, natomiast podobne do małego krecika.

Usiadł koło niego i zaczął się dopytywać: — Jak to się stało, że się tutaj znalazłeś? Czy coś cię boli?

Delikatnie pogłaskał zwierzątko po ciemnym futerku. Krecik podniósł głowę i uważnie przyjrzał się chłopcu, po czym znowu żałośnie zapiszczał.

— Zabiorę cię do mamy. Ona już będzie wiedziała, co należy zrobić — powiedział głośno do siebie.

— Do mamy, do mojej mamy? — zapytał uradowany krecik.

— Nie, do mojej. Nie wiem, gdzie jest twoja — tłumaczył mu Piotruś i dopiero teraz zdał sobie sprawę, że krecik mówi ludzkim głosem! — To ty umiesz mówić? — zdziwił się.

— Małe krety potrafią mówić w różnych językach, ale potem je zapominają i posługują się już tylko krecim językiem.

— Aha — powiedział Piotruś. Po chwili dodał: — A jak się tutaj znalazłeś?

— Zgubiłem się mamie i wpadłem do twojej piwnicy. Trochę mnie boli łapka, nie wiem, czy jest stłuczona, czy też złamana. Mama na pewno mnie znajdzie, zajmie jej to dużo czasu, ale mnie odnajdzie. Nie zabieraj mnie stąd, proszę, bo już bym nigdy jej nie spotkał.

Tu mały krecik zapłakał. Po chwili dodał:

— Jeśli mama mnie nie odnajdzie, to ty mi pomożesz, prawda?

— Oczywiście — z przekonaniem powiedział chłopiec. I pomyślał: Jak mogłem być tak niemądry i bać się duchów? To przecież krecik nawoływał swoją mamę.

— Zostaniesz ze mną? — upewniał się przez łzy krecik.

— Oczywiście — powiedział chłopiec.

— Nic nie mów o naszym spotkaniu nikomu, bo zrobi się hałas i mama mnie nie odnajdzie — poprosił krecik.

— Ty też nie mów nikomu, że ja myślałem, że tu są duchy i straszą.

— A kto to są duchy i co to znaczy, że straszą? — pytał zaciekawiony krecik.

— Nigdy o nich nie słyszałeś? — spytał Piotruś zdziwiony.

— Nie, nigdy — odparł krecik.

— Nie spotkałeś ich? — dopytywał się dalej chłopiec. — Przecież krety lubią, jak jest ciemno, lubią noc i chodzą wszędzie po ciemnych korytarzach.

— Tak, ale nigdy o duchach nie słyszałem. Jeśli byłyby, to na pewno bym coś o nich wiedział — mówił krecik.

— A co tak wieczorem nieraz zaskrzypi albo zapiszczy?

— A, to drzewa albo krzewy wydają takie dźwięki, gdy hula wiatr, lub zwierzęta nawołują się wzajemnie, albo tak jak ja wzywają mamę te, które się zagubiły.

Tak, ta odpowiedź była wiarygodna, bo po pierwsze, krecik musiałby znać duchy, jeśliby one istniały, a po drugie, on sam przecież też myślał, że płacz małego to głos ducha.

— Aha, masz rację, duchów nie ma, już więcej nie będę się bał, gdy Tomek będzie mnie straszył — powiedział Piotruś z przekonaniem.

Nagle drzwi do piwnicy otworzyły się i usłyszał głos mamy:

— Syneczku, gdzie jesteś? Właśnie się zorientowałam, że Tomek tak brzydko się zachował i zamknął cię tutaj na klucz.

— Idę, mamo! — zawołał Piotruś.

— Wróć do mnie. Tak miło się z tobą rozmawia, że już mniej straszne jest to czekanie — szepnął krecik.

— Przyjdę tutaj za chwilę — ściszając głos, uspokajał go Piotruś.

Marlena Szymańska, lat 7

Z półki wziął słoik przecieru pomidorowego i wyszedł z piwnicy. Mama stała obok drzwi i przyglądała mu się ze zdumieniem.

— Nawet się nie przestraszył, odważny chłopak — powiedziała.

Tomek, niezadowolony z takiego zachowania brata, zamruczał niewyraźnie pod nosem: — Przepraszam. — Po chwili zapytał ze zdziwieniem: — To ty już nie boisz się duchów?

— Nic a nic — odpowiedział Piotruś i dodał: — To, co dzieci biorą za strachy, to może być cierpiące i wołające pomocy zwierzątko albo szum wiatru, albo skrzypienie podłogi.

Brat spojrzał na niego z uznaniem.

— Nie wiedziałem, że ty taki jesteś — powiedział.

— Mamo, ja w piwnicy widziałem wiele ciekawych przedmiotów, pójdę tam jeszcze się pobawić, dobrze? — spytał Piotruś.

— Dobrze, dobrze — odpowiedziała mama i wróciła do kuchni.

Chłopiec zbiegł po schodach tak szybko, jak tylko potrafił, podbiegł do okna i zobaczył, że koło krecika kręci się duży kret. Widząc zbliżającego się chłopca, prychnął niechętnie, nastroszył się, jakby chciał stanąć w obronie małego. On jej jednak coś poszeptał mu do uszka, bo po chwili już przyjaźniej patrzył na Piotrusia.

— To moja mama — przedstawił mały dużego kreta.

— Dzień dobry — powiedział Piotruś i nie wiedział, co powinien jeszcze zrobić. Po chwili uprzejmie zapytał:
— Czy mogę w czymś pomóc?

— Mama mówi, że nóżkę od upadku mam tylko potłuczoną i obolałą i że nic mi nie będzie. Czy mógłbyś mnie podsadzić i położyć na parapecie okna? Mamie byłoby bardzo trudno mnie tam przetransportować — wyjaśniał krecik.

— Tak, pomogę też twojej mamie! — radośnie zawołał chłopiec. I już po chwili mały krecik ze swoją mamą znaleźli się na oknie.

— Żegnaj — ze smutkiem powiedział Piotruś. Bardzo polubił małego krecika. Było mu przykro, że tak szybko musi się z nim rozstać.

Krecik jakby rozumiał, co czuje chłopiec, bo zaproponował:

— Spotkajmy się jutro, o tutaj, na parapecie, o tej samej porze.

Duży kret gwałtownie zaprzeczył, kręcąc głową i coś tłumaczył małemu.

— Mama mówi, że to będzie niebezpieczne, mogę znowu spaść i potłuc się znacznie poważniej. — Krecik wyjaśnił zaniepokojenie swojej mamy. — To może umówimy się pod oknem piwnicy? — zaproponował.

— Doskonale, hurra, hurra! — zawołał Piotruś uradowany. — To do jutra — powiedział i po chwili obydwa krety zniknęły mu z oczu.

Wrócił do mieszkania. Już nie czuł się samotny, miał niezwykłego kolegę, krecika.

Od tej pory spotykali się bardzo często, zostali przyjaciółmi. A gdy ktoś straszył duchami, to Piotruś przypominał sobie ducha krecika i uśmiechał się na wspomnienie ich pierwszego spotkania.

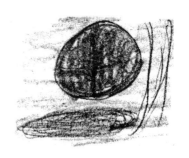

Piłeczka

Mała, celuloidowa piłka, taka do gry w tenisa stołowego, leżała na regale obok mamy — wielkiej, kolorowej piłki plażowej i taty — twardej piłki nożnej. Tuż obok rozsiadł się wielki nakręcany bąk, który nie tylko mienił się wszystkimi kolorami, ale i pięknie grał. Dalej znajdował się jego synek, mały, milczący bączek. Niżej i wyżej siedziały lale, misie. Były tam nawet instrumenty muzyczne — trąba i wielki, gruby bęben z chudymi pałeczkami. Na dolnej półce stały najróżniejsze samochody: ciężarowe, osobowe, wyścigowe, poza tym różne przyczepy, karetki pogotowia, dźwigi. Czego tam nie było? Cały regał zapełniony był szczelnie zabawkami. Leżały tam nawet książki, które w zimowe wieczory opowiadały dziwne historie. Wszyscy mieszkańcy półek znali się doskonale, często ze sobą rozmawiali, ba, nawet chodzili do siebie wieczorami w odwiedziny. Żyło im się wszystkim razem bardzo dobrze. Wieczorami i nocą, gdy główni lokatorzy — mały Marcin i mała Zosia już smacznie spali w swoich łóżeczkach, rozpoczynały się rozmowy o tym, co wydarzyło się w przedszkolu, kto nie chciał jeść zupy jarzynowej, a kto szpinaku, kto nie lubi leżakowania, kto najpiękniej śpiewa i co przydarzyło się Marcinowi, a co Zosi. Później każdy chciał się czymś pochwalić, opowiedzieć o swych przygodach i o wielkim świecie, który zaczynał się tuż za drzwiami ich pokoju. Gwar o tej porze panował nie do opisania. Piłeczka też chciała włączyć się do rozmów, coś o sobie powiedzieć. Ale nie było to łatwe, oj nie. Starsze zabawki nie słuchały jej z należytą uwagą, chyba że przynosiła sensacyjną wiadomość. Starała się więc być zawsze tam, gdzie coś się działo, pierwsza wiedzieć o wszystkim. Potrafiła przepchnąć się przed inne zabawki, zobaczyć wszystko, co się wydarzyło i czym prędzej wrócić na regał. Lubiła też samotne wyprawy do nieznanych miejsc.

Ileż to razy mama, wielka piłka plażowa, prosiła:

— Zostań, nie odchodź! Pobaw się z bączkiem albo poogłądaj książeczki. Tyle ich tutaj.

Tato jej wtórował i zabraniał oddalać się od regału. Upominał surowo:

— Nie wierć się, siedź spokojnie. Uważaj, bo napytasz sobie biedy — przestrzegał.

Ileż to razy powtarzali:

— Nie oddalaj się zbytnio od regału, bo wpadniesz do dziury, potłuczesz się lub wyrządzisz sobie jeszcze poważniejszą krzywdę, nie podchodź do okna, łatwo możesz wypaść i zgubić się. — Albo:

— Uważaj na porcelanowy wazon, który stoi na stole, jest piękny, jednak łatwo może się stłuc, pamiętaj, nie zbliżaj sie do niego.

Na próżno jednak ostrzegali, upominali, powtarzali. Piłeczka podskakiwała, kręciła się bezustannie, bo wszystko dookoła było takie ciekawe, niezwykłe, a siedzenie na półce straszliwie nudne. Pod czujnym okiem mamy i taty nie działo się nigdy nic ciekawego. Bardzo chciała być posłuszna i cichutko, nieruchomo siedzieć między innymi zabawkami na półce. Chciała tak jak mały bączek nie oddalać się od rodziców, ale to było niemożliwe, bo ciągle coś przyciągało jej uwagę. Musiała zbliżyć się, by dotknąć, zobaczyć, jak działa, dowiedzieć się czegoś nowego. Poza tym lubiła najbardziej skakanie — wyżej i wyżej, do samego sufitu. Mogłaby tak podskakiwać cały dzień i nigdy by się tym nie znudziła. Często marzyła, że jak dorośnie, to podskoczy tak wysoko, najwyżej na świecie, powyżej chmurek, do samego nieba.

Piłeczka czekała na chwilę, gdy rodzice zajęci rozmową nie byli tak czujni jak zwykle. Wówczas po cichutku wymykała się, spadała ze swojej półeczki w dół, na podłogę. Podskakiwała wysoko z wielkiej z radości, że nareszcie może poznawać wszystkie zakątki pokoju. Znała lampę zwisającą z sufitu i małego pajacyka wiszącego na ścianie. Kulała się po podłodze, poznając różne sprzęty, łóżko, kredens, ba, nawet bliżej zaprzyjaźniła się z dywanikiem, który chętnie udzielał miękkiej gościny, gdy zmęczona odpoczywała. Dni mijały jej na skakaniu, była szczęśliwa. Wieczorem wracała na swoją półkę, do mamy i taty, ale nawet wtedy nie na długo zagrzewała tam miejsce, skakała z półki na półkę, odwiedzała znajomych, słuchała ciekawych opowieści, zadając niezliczoną ilość pytań, bo wszystko chciała zrozumieć i wiedzieć.

Znała wszystkich i wszyscy ją znali. Przyjaźniła się z wieloma, tylko nie z wazonem, który dumny stał na stole. Budził powszechny podziw, był świadomy swojej urody i z tego powodu czuł się bardzo ważny. Nielicznym odpowiadał na grzeczne pozdrowienia, dzień dobry czy do widzenia. Czasem zamienił z kimś kilka słów, ale zawsze tylko ze starszymi, szanowanymi zabawkami.

Z piłeczką nie rozmawiał nigdy, oganiał się od niej jak od natrętnej muchy, gdy radośnie podskakiwała, przyglądając mu się. Musiała przyznać, że był piękny, brzuszek miał pomalowany w kolorowe kwiatuszki i długą, wysmukłą szyję, którą wyciągał do kwiatków.

Był zwyczajny dzień. Marcin i Zosia, ociągając się, wstali z łóżek i wychodząc z domu, zabrali ze sobą jedną z lal i misia. Pozostałe zabawki, zawiedzione, przez chwilę rozmawiały o tym, jaka wielka niesprawiedliwość je spotkała, dlaczego dzieci ich nie wybrały i teraz muszą siedzieć w domu. Potem żale ucichły i z wolna zapanowała cisza. Drzemały, także duża piłka plażowa i twarda piłka nożna. Piłeczka tylko czekała na ten moment, zsunęła się z półki i zaczęła podskakiwać, wyżej i wyżej. Tak jej się to spodobało, że w podskokach zaczęła krążyć wokół stołu.

— Przestań, niegrzeczna piłeczko — zasyczał wazon.

— Popchniesz mnie i potłukę się boleśnie.

— Ależ nie gniewaj się. Nie zrobię ci krzywdy, nie bój się — mówiła piłeczka i podskakiwała jeszcze wyżej, nie zwracając uwagi na przestrogi.

— Wcale się ciebie nie obawiam, tylko nie lubię takich zabaw — odburknął wazon. Napęczniał ze złości na myśl, że taka mała piłeczka mogła sądzić, iż on się jej boi.

Widząc jak bardzo jest naburmuszony i zagniewany, postanowiła go przeprosić. Nie chciała przecież go zdenerwować, tylko poznać bliżej, porozmawiać, a może i pobawić się. Wskoczyła więc na stół i podążała w jego kierunku.

— Prze... — zaczęła, ale w tym momencie wazon jej przerwał, mówiąc z gniewem:

— Poradzę sobie z niegrzeczną piłeczką. Dam ci srogą nauczkę!

Skierował się w jej stronę, rozgniewany nie na żarty. Przechylił się, to samo zrobiły kwiaty, i stracił równowagę. Przewrócił się. Woda popłynęła wielkim strumieniem, a wazon turlając się po stole, spadł w dół.

Piłeczka wystraszyła się ogromnie. Nie czekała na to, co się stanie. Wyskoczyła przez okno. Przerażona odbiła się od chodnika i potem dalej i dalej skacząc, minęła ruchliwą jezdnię i wpadła do małego ogródka. Ziemia tam była zimna i lepka, nie mogła skakać. Turlając się, zmierzała do małego krzaczka. Zatrzymała się i ukryła pod jego gałązkami. Było jej zimno, obco i tak jakoś nieprzyjemnie.

Co robić, co robić? — zastanawiała się przestraszona i zawstydzona nie na żarty. Nie, do domu nie mogła wrócić, zbiła taki piękny wazon, przed czym ostrzegali rodzice. Teraz wszyscy będą ją wytykali palcami, wyśmiewali się. Czy uwierzą, że nie chciała wyrządzić krzywdy wazonowi, że to był nieszczęśliwy wypadek? A może wrócić, spróbować wytłumaczyć się i jakoś naprawić szkodę. Ale gdzie jest mój dom? Rozejrzała się dookoła. Wszystkie domy były podobne, ustawione szeregowo, przodem do jezdni.

W którym mieszka? Dopiero teraz zrozumiała, że oddaliła się i nie wie, jak wrócić do domu.

Co ona biedna zrobi? Rozpłakała się z bezradności. Zmęczona, umorusana łzami i ziemią zasnęła.

*

Tymczasem w pokoju dziecięcym hałas wywołany przewróceniem się i upadkiem wazonu obudził wszystkich. Rozbity wazon leżał na dywanie i lamentował. Rzucili mu się wszyscy na ratunek, ale nie wiedzieli, co zrobić, więc tylko załamywali ręce i powtarzali:

— Taki piękny wazon! Jaka szkoda, jaka szkoda, kto to zrobił? Kto to zrobił?

Duża piłka plażowa widząc, co się stało, odezwała się:

— Płacz nic nie pomoże, trzeba przykleić tę część, która odpadła.

Zwracając się do wazonu, dodała:

— To nie będzie bolało, nie zostanie żaden znak po tym zabiegu, wiem coś o tym, bo po każdym pobycie na plaży mama Marcina i Zosi mnie skleja. Tu obróciła się dookoła, demonstrując wszystkim, jak świetnie wygląda, i że nie ma śladu tych zabiegów. Wazon przestał na chwilę zawodzić. Z nadzieją popatrzył na piłkę, trwało to jednak chwilę, po czym ponownie zaczął rozpaczać:

— Gdzie ja taki klej znajdę? Kto mi pomoże? Nie, ja już nigdy nie będę taki sam, to jest niemożliwe!

— Zaraz znajdę na to radę — powiedziała duża piłka. Otwarła drzwi i ruszyła po schodach w dół, w kierunku schowka, gdzie przechowywano różne rzeczy, także kleje. Po chwili była z powrotem. Na grzbiecie dźwigała wielką tubkę. Jeden z misiów, prawdziwy atleta, odkręcił zakrętkę, a laleczki zgrabnymi, małymi paluszkami przykleiły część, która odpadła. Wazon poddawał się tym wszystkim zabiegom bez słowa. Potem wspólnymi siłami podnieśli go.

— No, no, rzeczywiście nie ma śladu, nie ma śladu — powtarzał zadowolony wazon, oglądając się ze wszystkich stron.

A zabawki przytakiwały mu:

— Tak, tak, nie ma śladu, nie ma śladu.

— Gdybyśmy tego nie widziały na własne oczy, to byśmy nie uwierzyły, że jest to możliwe — mówiły lale,

Hania Sieracka, lat 7

a misie kiwały głowami na wszystkie strony ze zdumienia. Piłka plażowa była bardzo zadowolona, jej mąż piłka nożna również.

Nagle drzwi się otwarły i do pokoju weszła mama.

— Ale tu bałagan — stwierdziła.

Podniosła wazon z dywanu i wyszła z nim, by napełnić go wodą. Potem włożyła kwiaty i wytarła stół ściereczką.

Gdy opuściła pokój, wazon stwierdził:

— Cieszę się, że jestem taki sam jak przedtem. Nawet mama Marcina i Zosi nie zauważyła śladów stłuczenia.

— A jak to się stało, że spadłeś ze stołu? — zapytała wielka piłka plażowa.

— A, nie warto o tym mówić, przewróciłem się i basta — odpowiedział wazon. Nie bardzo wiedział, jak wyjaśnić swój gniew skierowany na piłeczkę, która przecież nie miała złych zamiarów i w żaden sposób mu nie zagrażała.

Zabawki poruszone wracały na swoje miejsca. Zastanawiały się, co tak naprawdę się wydarzyło i dlaczego wazon nie chce im o tym opowiedzieć. Szeptały coś między sobą, kiwały głowami.

Wtem wielka piłka z niepokojem rozglądając się wokół, stwierdziła:

— Nie ma mojej małej piłki.

Jej mąż powtórzył: — Nie ma piłeczki. Gdzie się podziała?

Zaczęli pytać jedno przez drugie:

— Gdzie ona jest, gdzie jest?

Zrobił się hałas nie do opisania.

— Czy ktoś ją widział? Wie, gdzie może być? — pytała zdenerwowana piłka plażowa.

Wazon zrozumiał, że nie może dłużej ukrywać prawdy.

— Widziałem — powiedział — jak wyskakiwała przez

okno po tym moim nieszczęśliwym wypadku. Krzyczałem na nią, bo kręciła się wokół mnie. Może uciekła, bo czuła się winna?

Duża piłka i nożna zamarły przerażone. Piłeczka wybiegła z domu, może wpadła pod samochód albo może ktoś ją zabrał, pies czy kot? Może potrzebuje pomocy? Gdzie jest? Co się z nią dzieje?

— Nieszczęście, nieszczęście, zaginęła piłeczka — powtarzały zabawki.

— Ruszamy na poszukiwania — zdecydował tata. — Kto włącza się do poszukiwań? — zapytał.

Zewsząd rozlegało się: — Ja, ja też i ja!

— Ja też chcę pomóc, tym bardziej, że niechcący przyczyniłem się do zaginięcia piłeczki — powiedział wazon.

— Ależ skąd, ty musisz zostać tutaj, blizna po stłuczeniu jest jeszcze świeża. Poza tym ktoś musi na nią czekać, gdyby wróciła do domu — odezwała się duża piłka plażowa.

Tato tymczasem organizował grupy, które natychmiast miały wyruszyć na poszukiwania.

— Musimy przeczesać cały teren, niektórzy z nas zostaną w domu i będą szukali tutaj, następna grupa ruszy w kierunku jezdni i rozpocznie poszukiwania w ogródkach sąsiednich domów. Jeszcze inna pójdzie na śmietnik. Przebywanie w pobliżu zsypu jest niebezpieczne, ktoś może wrzucić nas do pojemnika ze śmieciami i wtedy już nigdy tutaj nie wrócimy. Tylko bardzo odważni mogą tam pójść — mówił.

— Ja idę na śmietnik, a ty poprowadź grupę na ulicę, potrafisz pokierować innymi, pozostali poszukają w domu — powiedziała mama, duża piłka plażowa.

— Nie wiem, czy powinienem się na to zgodzić, to

bardzo niebezpieczne zadanie — zastanawiał się tata, twarda piłka nożna.

— Dam sobie radę — zapewniała mama. — Nie traćmy czasu i ruszajmy na poszukiwania.

— Ja pójdę z piłką plażową. Razem będzie nam raźniej — powiedział jeden z misiów.

— Dobrze, ale opiekuj się nią — poprosił zatroskany tata.

Wyruszyli na poszukiwania.

*

Mała piłka obudziła się zziębnięta. Rozejrzała się dookoła. Obok niej znajdowało się jajko niespodzianka, podobne do tego, które leżało na regale.

— Czy my się znamy? — zapytała nieśmiało.

— Nie. Nie możesz mnie znać, bo ktoś, kto mnie kupił w sklepie, zgubił mnie i od tej pory tutaj leżę — odparło jajko niespodzianka. — A ty? — spytało.

— To smutna historia, ale opowiem, co mi się przydarzyło.

I piłeczka zaczęła snuć swą opowieść.

Jajko niespodzianka słuchało ciekawie, nie przerywając ani razu.

Potem zapytało:

— A czy chciałabyś wrócić do domu?

— No pewnie — zawołała piłeczka. — Tylko nie wiem, gdzie jest mój dom, zgubiłam się. Martwię się, że rodzice się niepokoją, na pewno mnie szukają. Gniewają się na mnie, nie wiem, jak by mnie przyjęli, taki piękny wazon się zbił i ja do tego się przyczyniłam. Co robić, co robić? — mówiła zrozpaczona.

— Może ja będę mogło ci w tym pomóc?

— Ale w jaki sposób? — spytała zdziwiona piłeczka.

— Pójdę z tobą i pomogę ci się wytłumaczyć.

— To byłoby wspaniale. Powiedziałobyś, że nie chciałam stłuc wazonu, że chcę być grzeczna i siedzieć nieruchomo koło mamy i taty, ale to się jakoś nie udaje — mówiła bardzo szybko wyraźnie uradowana piłeczka. — Ty na pewno potrafisz im wszystko wyjaśnić, jesteś takie mądre — dodała po chwili.

— No, to ruszamy w drogę, tylko proszę cię, nie biegnij za szybko, bo ja za tobą nie nadążę — powiedziało jajko niespodzianka.

Piłeczka radośnie podskoczyła, ale zaraz zatrzymała się i wolniutko razem z jajkiem niespodzianką potoczyła się na chodnik.

— W którą stronę iść? Gdzie szukać domu? — zastanawiała się.

— Może najpierw pójdziemy w jedną stronę, a potem w drugą. Jeśli nie znajdziemy twego domu po tej stronie, to przejdziemy ostrożnie przez jezdnię i tam, po przeciwnej, będziemy szukać znowu, aż do skutku — zaproponowało jajko niespodzianka.

Wolniutko przesuwały się od jednego domu do drugiego, szukając miejsca, które byłoby znane piłeczce. Słońce już zaczęło chować się za chmury. Zbliżał się wieczór. Piłeczka była bardzo zmęczona i bardzo smutna. Jednak to, że nie była sama, dawało jej siłę do dalszych poszukiwań.

Nagle spojrzała w górę, w otwartym oknie domu stał znajomy wazon.

On także ją zauważył. Zaczął niebezpiecznie przechylać się w jej stronę i wołać:

— Wracaj, piłeczko, wracaj!

— On znowu spadnie i rozbije się na tysiąc kawałków — przestraszyła się piłeczka. Niewiele myśląc, podskoczyła raz i drugi wysoko, wyżej, jeszcze wyżej i wpadła do swego pokoju z krzykiem:

— Proszę cię, wracaj na stół, bo się rozbijesz!

— Kochane dziecko — powiedział ze wzruszeniem wazon.

— Jak to się stało, że jesteś cały i dlaczego tutaj nikogo nie ma? — spytała piłeczka, rozglądając się po opustoszałym pokoju.

— Wszyscy cię szukają — odparł wazon. — A to, że jestem niezmieniony, zawdzięczam twojej mamie, która pomogła przykleić oderwaną część, tak że nie ma śladu i znowu mogę cieszyć wszystkich swoją urodą. Bardzo martwiłem się o ciebie — dodał.

— To już się na mnie nie gniewasz? — spytała piłeczka ucieszona.

— Dzięki tobie wiele zrozumiałem — powiedział wazon bardziej do siebie niż do piłeczki.

— Teraz musimy wszystkich zawołać, by wrócili.

— Ale jak to zrobić? — zastanawiała się piłeczka.

— O to się nie martw, instrumenty muzyczne z radością sobie z tym poradzą.

I rzeczywiście, leżąca obok książek trąbka i piszczałka, które przysłuchiwały się ich rozmowie, nadęły się ogromnie i zaczęły grać. Przez otwarte okno muzyka popłynęła na zewnątrz. Po chwili zaczęły schodzić się zabawki. Piłeczka po kolei wpadała wszystkim w objęcia. Ale najszczęśliwsi byli mama — duża piłka plażowa i tata — twarda piłka nożna. Całusom, uściskom wprost nie było końca.

— Ale dlaczego wyskoczyłaś przez okno, dlaczego uciekłaś? — dopytywała się mama.

— Bo ja myślałam, że będziecie się na mnie bardzo gniewali o to, że was nie posłuchałam, że skakałam koło wazonu.

Mama przytuliła ponownie piłeczkę i powiedziała:

— Nie miałam pojęcia, że małe piłki są takie ruchliwe i muszą skakać przez cały dzień.

— Ja też — dodał tato. — Od dzisiaj zaczynamy lekcje gry w tenisa stołowego. Dostaniesz do pary paletkę i będziesz biegała, skakała, tak jak to lubisz i jak tylko ty potrafisz. Na pewno się z nią zaprzyjaźnisz.

— Doskonale! — krzyknęła ucieszona piłeczka.

W chwili gdy tato mówił o przyjaźni, przypomniała sobie o jajku niespodziance, które przecież zostawiła przed domem.

— Mamo, tato, ja muszę iść po mojego przyjaciela, który pomógł mi w odnalezieniu domu, zupełnie o nim zapomniałam! — krzyknęła.

— Zaraz wracaj — poprosiła mama.

Piłeczka była już przy oknie, a po chwili na parapecie. Spadła na ziemię i rozglądnęła się. Jajko niespodzianka leżało w tym samym miejscu, w którym je zostawiła.

— Wszystko w porządku? Czy jestem ci jeszcze potrzebne? — spytało.

— Oczywiście, że jesteś mi potrzebne — odpowiedziała piłeczka.

Nagle nad ich głowami rozległy się wołania:

— Zapraszamy, zapraszamy do nas!

Spojrzała w górę i zobaczyła rodziców wśród innych zabawek. Wszyscy stali na parapecie i zapraszali jajko do środka.

— Idziemy — powiedziała zdecydowanie piłeczka.

— Ale ja nie wiem, czy mogę, jestem brudne i...

— Nie ma żadnego wymawiania się! — krzyknął tato. — Przyjaciele naszych dzieci są naszymi przyjaciółmi.

To mówiąc, skoczył w dół i zabrał jajko do pokoju. Piłeczka podążyła ich śladem.

— Dziękujemy, żeś pomogło naszej kochanej piłeczce — powiedziała mama.

— A ja bym chciała, żeby jajko niespodzianka z nami zamieszkało — poprosiła piłeczka.

— To dla nas byłby wielki zaszczyt, myślę, że mogę tak mówić w imieniu wszystkich? — zaproponował wazon, rozglądając się dookoła.

— Tak, tak — poparł go chór głosów.

— Pragniemy, byś razem z nami zamieszkało — powtórzyła wielka piłka plażowa bardzo uroczystym tonem.

— Dziękuję. Zostanę z wami! — zawołało jajko uszczęśliwione. I razem z piłeczką pokulało się na regał.

— Jutro poznam cię z jajkiem niespodzianką, które mieszka półkę wyżej — obiecała piłeczka. Ziewnęła raz i drugi, zaraziła tym jajko niespodziankę, a potem wszystkich. Cały regał ziewał.

Kiedy Marcin i Zosia weszli do pokoju, wszystkie zabawki spały już zmęczone wydarzeniami dnia.

— Skąd się tu wzięło jeszcze jedno jajko niespodzianka? — zastanawiały się dzieci i nie mogły znaleźć odpowiedzi.

O laleczce, która była klaunem

Na łóżeczku, w małym pokoju, siedziała laleczka. Na półeczkach, regałach, nawet na parapecie, wszędzie leżały zabawki. Było ich dużo i były takie piękne, nowe. Ale widocznie nie cieszyły laleczki, bo minę miała smutną, o czym mówiły usta wygięte w pałączek i szklące się łzami oczy. Niewesołe były jej myśli, oj, niewesołe. Jeszcze tak niedawno była najdroższą córeczką. Każdego dnia mama, duża lala i tato, wielki miś, wychodzili z nią na spacer do parku, gdzie są huśtawki, lub do kawiarni na lody, ciasteczka, czasem nawet do zoo lub do cyrku. Jeśli padał deszcz i było zimno, tak że nieprzyjemnie było nawet nos wyściubić na zewnątrz, mała laleczka bawiła się w pokoju rodziców. Ach, jak było miło, gdy tata turlał się z nią po dywanie lub mama opowiadała bajeczki!

Teraz jest zupełnie inaczej. Głęboko westchnęła. Rodzice nie mają czasu, bo albo są zmęczeni, albo zajęci wrzeszczącym małym misiem. Stale też mają do niej pretensje — a to że grymasi, a to że kaprysi. Może już im się znudziłam, może to ten mały miś zabrał mi miłość rodziców? Myślała o nim z niechęcią. Podaj pieluszki, przynieść mu herbatkę, zobacz, jak pięknie się uśmiecha, powinnaś kochać swego małego braciszka —

powtarzają. I co tu kochać? Je, śpi, fika nogami lub płacze. Nawet porządnie usiąść nie potrafi i nic nie rozumie. Nie, nie nadaje się do żadnej zabawy, tylko krzyczeć umie. A mama nawet tym wrzaskiem się zachwyca i powtarza: Głos wspaniały, co za siła, co za brzmienie, tenor, prawdziwy tenor, będzie wielkim artystą. Tato jej wtóruje: Chłopak nam się udał, oj, udał. A ona? Potrzebna jest tylko do pomocy, służąca, kopciuch. Jeśli proszę, by chociaż troszeczkę się ze mną pobawili, to mówią: Nie widzisz, jacy jesteśmy zmęczeni? Idź do swego pokoju, tyle masz tam zabawek. Chyba już mnie nie kochają — myślała z żalem laleczka.

Włożyła palec do buzi i rozpłakała się.

— Wiolko, proszę, chodź tutaj do mnie, pomóż mi troszeczkę przy naszym kochanym maluszku! — rozległo się wołanie mamy.

— Pomóż, pomóż przy kochanym maluszku — szeptała, przedrzeźniając pod nosem mamę. Wytarła łzy rączką. Ociągając się niechętnie, zeszła z łóżeczka i wolno, nóżka za nóżką, poszła do pokoju rodziców. Na wielkiej kanapie leżał mały miś i machał łapkami. Mama pochylała się nad nim, klaszcząc w dłonie.

— Jestem — burknęła laleczka bardzo niewyraźnie, trzymając palec w buzi.

— Zobacz, zobacz, jak cudownie wymachuje rączkami nasz kochany Misiaczek — powiedziała do niej mama.

Jaki on jest nieporadny, nawet nie potrafi naśladować ruchów mamy, nie rozumiem, jak można się nim tak zachwycać — pomyślała.

— Wyciągnij natychmiast palec z buzi! Nie zachowuj się jak małe dziecko, jesteś przecież już dużą laleczką — powiedziała mama.

Znowu jest najgorsza. Z chwilą, gdy on się tutaj pojawił, już nikt nie zwraca na nią uwagi, wszyscy tylko Misiek, Misiaczek.

— Co się tutaj dzieje? — spytał tata, który niespodziewanie pojawił się w drzwiach.

— Znowu jest niegrzeczna — odpowiedziała z wyrzutem w głosie mama.

Tego już było za wiele. Albo mówią, że kaprysi, albo że jest najgorsza. Lalka rozpłakała się głośno. Pobiegła do swego pokoju. Jadę do dziadków, bo tutaj nikt już mnie nie kocha. Będą tęsknić, płakać i prosić, bym wróciła. Może wtedy zrozumieją, że Misiek nie jest taki wspaniały. Jak ja go nie lubię — myślała bardzo zagniewana. Zacisnęła dłonie w piąstki.

Do maleńkiej torebki wrzuciła skarbonkę. Po chwili zatrzasnęła z hukiem za sobą drzwi. Maszerowała energicznie.

Wsiądę do kolejki i już za chwilę będę u dziadków. Oni mnie naprawdę kochają, bo dla mamy i taty tylko Misiak się liczy — myślała.

Poczuła, że wolno ulotniła się z niej cała złość i pozostał tylko smutek. Westchnęła głęboko. Podeszła na przystanek. Stało tam wielu ludzi. Lalka wsiadła do pierwszej kolejki, jaka nadjechała. Niewiele osób, może dwie lub trzy znajdowały się w środku. Usiadła przy oknie, otworzyła torebkę, by ze skarbonki wyciągnąć pieniądze i wykupić bilet w automacie. Nagle zrobiło się ciemno. Wjeżdżamy w tunel — pomyślała.

Po chwili zapaliła się jedna lampka, rzucając słabe światło; na zewnątrz było bardzo ciemno. Rozglądnęła się dookoła i nie zobaczyła żadnego pasażera.

— Pojadę do końcowego przystanku, tam na pewno

będzie konduktor, którego zapytam, gdzie mieszkają moja babcia i dziadek — postanowiła laleczka.

Wydawało się jej, że kolejka zjeżdża niżej i niżej, jakby w głąb ziemi.

Pewnie już się martwią, gdzie się podziała. Mama płacze, a tato załamuje łapki i z pewnością już jej szukają. Może powinna wrócić do domu? W tym momencie kolejka zatrzymała się ze zgrzytem. Laleczka wysiadła i rozejrzała się dookoła. Brrr, zrobiło się jej nieprzyjemnie, dookoła było ciemno, brudno i nikogo nie było na peronie. Kolejka ruszyła i zniknęła po chwili w ciemnościach. Co ja teraz pocznę? Muszę chyba zaczekać tutaj na następną kolejkę i wrócić z powrotem na ten sam przystanek, z którego odjechałam. Pomysł przyniósł ulgę. Zaraz wrócę do domu — uspokajała się. Tymczasem rozejrzę się tutaj, może kogoś spotkam. Przeszła kilka kroków i zobaczyła wyłaniający się z ciemności budynek. Podeszła bliżej, wspięła się na paluszki, by przez okno zajrzeć do środka. Wydawało jej się, że widzi poruszające się misie i lale. Jak to dobrze, na pewno pomogą wrócić mi do domu — pomyślała uradowana. Podeszła do drzwi, pchnęła je silnie. Weszła do środka, zobaczyła brudną salę, w której misie i lale siedziały na ławeczkach lub leżały na podłodze. Okropna poczekalnia — pomyślała.

— Gdzie ja jestem? — spytała cichutko laleczka stojącą obok starą lalkę.

— W mieście pod ziemią — odpowiedziała. — Tutaj zostaniesz już na zawsze — zaśmiała się złowrogo.

— Ja chcę do mamy, do taty, do domu! — powtarzała przerażona lalka.

— Krzycz, krzycz, lamentuj, i tak nikt cię nie usłyszy

— mówiła staruszka. — Teraz będziesz żyła tutaj, w podziemiach. Nie możesz wrócić do domu, kolejka odjechała na niższy pokład, poza tym by wrócić na powierzchnię, musisz mieć specjalne zezwolenie.

— Co ja tutaj będę robiła? — spytała przestraszona laleczka.

— Możesz leżeć i nic nie robić, jak ci tutaj. — Wskazała palcem na obecnych, potem przyjrzała się jej uważnie: — Możesz opiekować się małymi laleczkami i misiami, prać, sprzątać, gotować.

— Ja chcę wrócić do domu, do mamy, taty i małego Misiaka!

— Obawiam się, że już podjęłaś decyzję, przyjeżdżając tutaj — powiedziała staruszka i odwróciła się, by odejść.

— Zaczekaj, proszę, powiedz mi, jak mogę wrócić do domu! — zawołała laleczka.

— Hmmmmm — zastanawiała się długo stara lalka. — Jest jeden sposób, ale bardzo trudny, tak trudny, że prawie niemożliwy do zrealizowania. Jest sposób, by wyjść na powierzchnię, ale wrócić do domu? Nie, to niemożliwe — mówiła, kręcąc przecząco głową. — Lepiej nie budź w sobie nadziei — dodała po chwili.

— Proszę, powiedz mi, co to za sposób — nalegała laleczka.

— Musiałabyś zostać klaunem, który rozśmiesza publiczność, nauczyć się chodzić po linie albo wykonywać inne bardzo niebezpieczne, a zarazem śmieszne sztuczki, wówczas razem z naszym cyrkiem występowałabyś na powierzchni.

— Kto może mnie tego nauczyć? Ja bardzo chcę być klaunem, bardzo — przekonywała lalka.

— Jeśli tak bardzo ci na tym zależy, to możesz spróbować, może będziesz się do tego nadawała. Zaprowadzę cię — obiecała staruszka.

Przeszły przez wielką salę, następnie przez niewielki hol i jeszcze jeden, szły długimi korytarzami, mijały wiele lalek i misiów, które były bardzo podobne do tych z poczekalni — brudne i zaniedbane. W końcu znalazły się przed drzwiami, na których był napis: Tylko dla pracowników cyrku „Podziemie".

— Teraz już musisz radzić sobie sama — powiedziała staruszka i odeszła szybkim krokiem, jakby się czegoś obawiała. Lalka nie zdążyła jej nawet podziękować. Zapukała do drzwi, które uchyliły się same, straszliwie przy tym zgrzytając.

Weszła wolno do pomieszczenia. Było tam wiele szafek i wszędzie porozkładane ubrania. To jest chyba szatnia — pomyślała laleczka.

Za tym pomieszczeniem znajdowała się wielka sala gimnastyczna. Były tam porozwieszane najróżniejsze liny i przymocowane do nich drążki wiszące wysoko, wysoko przy samym suficie. Także równoważnia i inne przyrządy gimnastyczne, których nie znała. Misie i laleczki, w czystych strojach gimnastycznych, wykonywały różne akrobacje.

Ojej, czy ja nie spadnę? Czy ja sobie poradzę? — martwiła się laleczka, patrząc na wykonywane przez nich ćwiczenia. Jednak wiedziała, że to jedyna droga, by wrócić do domu, do kochanego domu.

Podszedł do niej duży miś i zapytał, groźnie marszcząc brwi:

— Po co tutaj przyszłaś?

— Bo ja, ja chcę zostać linoskoczką — odpowiedziała bardzo przejęta.

— Jeśli myślisz, że to sposób, by się stąd wydostać, to się mylisz.

Tu zaśmiał się głośno i jakoś tak nieprzyjemnie. Laleczka spuściła główkę i nic nie odpowiedziała.

— No, nie... — zastanawiał się przez chwilę, przyglądając się jej uważnie. — Linoskoczką nie możesz zostać — powiedział zdecydowanie. Po chwili dodał: — Ale może nadawałabyś się na małego klauna. Zobaczymy, co potrafisz. Codziennie możesz przychodzić tutaj na zajęcia, ćwiczyć trzeba od rana do wieczora. Jak ci się to nie podoba, to fora ze dwora — zagrzmiał.

— Zaczynam już dzisiaj, zaraz. Czego powinnam się uczyć, czy pan mi w tym pomoże?

— Nie. Radź sobie sama — odparł niegrzecznie i odszedł na drugi koniec sali.

Laleczka rozejrzała się. Podeszła wolno do najbliżej ćwiczących na drążkach.

— Czy ja też mogę spróbować? — zapytała grzecznie.

— Gdzie się pchasz, tu obowiązuje kolejka — pouczył ją jeden z ćwiczących.

Posłusznie stanęła na końcu. Przyglądała się uważnie ruchom ćwiczących. Nareszcie nadeszła jej kolej i mogła wejść na drążek. Niestety, po chwili boleśnie potłuczona, leżała na podłodze. Towarzyszył jej głośny śmiech.

A niech tam, naśmiewają się z niej, ale ona sobie poradzi. Zacisnęła zęby i ponownie ustawiła się w kolejce, ćwiczyła i ćwiczyła. Trwało to wiele godzin. Powoli ćwiczący opuszczali salę gimnastyczną, została tylko laleczka. Nie ustawała w wysiłkach, każdy ruch bardzo bolał, a mimo to ćwiczyła dalej. W końcu znużona zasnęła w sali pod ścianą. Gdy otworzyła oczy, zobaczyła, że nie jest sama; przytulony do niej spał mały kotek. Ucieszyła się. Pogłaskała go delikatnie. Poczuła się lepiej i już, już chciała poderwać się, by wstać, lecz w tym momencie poczuła silny ból. Tak, to wczorajsze upadki spowodowały, że każdy ruch tak niewyobrażalnie bolał. Rozpłakała się głośno i żałośnie. Teraz tak bardzo chciałaby być z mamą, tatą, a nawet z małym Misiakiem! Jak ja ich kocham, wszystkich, jak bardzo chciałabym być z nimi — pomyślała. Przypomniała sobie, jak braciszek wymachiwał z radością rączkami na jej widok, jak razem z mamą i tatą śmiali się z jego min lub prób siadania. Teraz z przyjemnością pomogłaby mamie przy kąpieli. Ale jest tak daleko od nich, tak daleko. Wrócę, na pewno wrócę — powtarzała sobie. Wyrwała ją z rozpaczy myśl, że powinna trenować, bo to jedyna droga powrotu.

Ponownie z zapałem, przezwyciężając ból, podeszła do przyrządów gimnastycznych i rozpoczęła ćwiczenia. Kotek przyglądał się jej uważnie i nie odchodził.

Tak minął kolejny dzień, a potem następne. Lalka już nie pamiętała, ile tygodni minęło. Zawsze pierwsza zaczynała ćwiczenia i ostatnia je kończyła. Spała gdzieś w kąciku sali lub w szatni. Kotek stał się jej wiernym przyjacielem. Zmęczona po całym dniu ćwiczeń opowiadała mu o mamie, tacie i małym, kochanym braciszku. Słuchał ciekawie, tak jakby rozumiał, potem przytulał się do laleczki i razem zasypiali.

— Dzisiaj komisja wybierze artystów, którzy będą występowali w cyrku — oznajmił pewnego dnia duży miś.

— Dzisiaj odbędzie się egzamin! — powtarzali wszyscy.

Pojedynczo wpuszczano na salę, gdzie komisja oceniała umiejętności kandydatów. Lalka z niecierpliwością oczekiwała na swoją kolej. Chodziła, zaciskała dłonie, nie mogła usiedzieć w jednym miejscu. Wzięła kotka na ręce i przycisnęła go do siebie.

— Miau, udusisz mnie — zamiauczał cichutko.

— To ty potrafisz mówić? — zdziwiła się lalka.

— Tak, ale rozmawiam tylko z wybranymi, z przyjaciółmi. Posłuchaj — wspiął się na jej ramiona i szeptał wprost do uszka: — Pamiętaj, jeśli chodzenie po linie albo inne ćwiczenie nie uda ci się, to śmiej się z tego, komisja musi być przekonana, że zrobiłaś to celowo. Zawsze niepowodzenie można zamienić w zwycięstwo. Klaun przecież musi rozbawiać widownię, także swą nieporadnością. Nie myśl więc o tym, co ci się nie udało, ale dalej pokazuj, co potrafisz.

Tak, kotek ma rację, musi myśleć o tym, jak wiele potrafi, jak wiele się sama nauczyła. Wzmocniona tymi myślami, spokojniejsza, oczekiwała na swój występ, który dla niej był jedyną szansą powrotu do domu.

Nareszcie nadeszła oczekiwana chwila. Weszła do znajomej sali gimnastycznej. Dzisiaj za wielkim stołem siedziała komisja. Lalka zobaczyła, że siedzi tam też staruszka, która pokazała jej drogę, i duży miś, i jeszcze jakieś nieznajome osoby. Ukłoniła się grzecznie. W odpowiedzi usłyszała krótkie: — Ćwicz.

Lalka podeszła do liny rozwieszonej wysoko, nad głowami i zaczęła po niej wchodzić. Widziała, jak członkowie komisji zadzierają głowy do góry, patrząc, jak pod sufitem wykonuje obroty, początkowo wolno, a po chwili coraz szybciej, jak śruba kręcąc się dookoła. Potem weszła na równoważnię i zaczęła wykonywać mostki i przewroty. Wtem, najzupełniej niespodziewanie, nóżka osunęła się i laleczka spadła na ziemię. I mimo że

Marysia Rakowska, lat 6

poczuła silny ból w kolanie, nie pokazała tego po sobie, zaśmiała się radośnie i udając niezgrabka, fiknęła kilka koziołków na podłodze. Po czym stanęła z boku i czekała na ocenę. Członkowie komisji poszeptali między sobą, a potem duży miś oznajmił:

— Zostałaś przyjęta do grupy artystów cyrkowych i będziesz klaunem.

Laleczka tak się ucieszyła, że zapominając o bólu, wybiegła z sali. Czekał na nią kotek.

— I co, jaki wynik? — dopytywał się.

— Zostałam małym klaunem! — odpowiedziała laleczka z radością. I uściskała kotka. Po chwili z niepokojem spytała:

— Czy ty musisz tutaj zostać? Nie chcę się z tobą rozstawać.

— Zabierzesz mnie, będę twoim pomocnikiem. Ja mam tylko ciebie, miau, miau — miauczał żałośnie.

— Zawsze będziemy razem — powiedziała laleczka. Wzięła kotka na ręce i mocno przytuliła.

W drzwiach szatni pojawił się duży klaun.

— Czy zdałaś egzamin? — zapytał lalkę.

— Tak — odpowiedziała.

— A więc od tej chwili jesteś klaunem i musisz mnie we wszystkim słuchać. Chodź ze mną — rozkazał.

Wyszli z szatni i ruszyli jednym z wielu ciemnych korytarzy. Na jego krańcu były drzwi, a tuż za nimi znajdował się wielki namiot. Weszli do środka. Reflektory świeciły ostro. Jasność oślepiła ich, więc zamknęli oczy. Po chwili już mogli je otworzyć. Zobaczyli wiele lalek, misiów, a także różne zwierzęta kręcące się po namiocie. To był prawdziwy cyrk. Laleczki i misie poprzebierane w różne kolorowe stroje ćwiczyły na środku, przygotowując się do występu. Idąc za klaunem, podeszli do małego stoliczka stojącego z boku, pod ścianą namiotu.

— Trzeba cię przerobić na prawdziwego pajaca, ty masz taką smutną twarz — stwierdził, przyglądając się jej. Lalka próbowała się uśmiechnąć, ale nie bardzo jej się to udało, twarz zrobiła się jakaś sztywna, a uśmiech był nienaturalny, sztuczny, jakby przyklejony do twarzy. Na stoliczku leżały różne maski i jakieś pudełka z kremami i farbami.

— O, ta może będzie dobra. Nie, może ta? — zastanawiając się, mówił głośno do siebie i przymierzał laleczce maski z wymalowanymi wielkimi, czerwonymi ustami i wielkimi nosami. — Tak, ta jest najlepsza — zdecydował. — Jeszcze tylko trzeba przykleić — mruczał pod nosem. Posmarował maskę pod spodem jakimś klejem i przyłożył jej do twarzy, silnie dociskając. Laleczka próbowała poruszyć maską, ale przykleiła się tak mocno, że nawet nie drgnęła.

— O nie, tego już nie można zdjąć, od tej chwili to jest twoja prawdziwa twarz. Jesteś klaunem — powiedział śmiejąc się złośliwie.

— Ależ nie, ja jestem lalką! — zaprotestowała. Nie odpowiedział, wzruszył ramionami i podał jej lusterko. Zobaczyła w nim odbicie klauna.

— Od dzisiaj jesteś błaznem, pajacem, który rozśmiesza, bawi publiczność. Z czasem też tak o sobie będziesz myślała i zapomnisz, że byłaś kiedyś lalką.

— Nie martw się, nie zapomnisz, ja będę zawsze o tym pamiętał, wiem, kim jesteś naprawdę — szeptał jej kotek do uszka.

Laleczka przeraziła się swą odmianą, rodzice i mały brat jej nie poznają. Jak powróci do nich? Czy zdoła ich przekonać, że jest ich córeczką i siostrzyczką Wiolą? A może to nie będzie konieczne, bo o niej już dawno zapomnieli? Kotek jakby czytał w jej myślach, bo szepnął, że na pewno na zdjęcie maski znajdzie się sposób. Dopiero teraz klaun zwrócił na niego uwagę.

— Co tutaj robi ten kot? Nie potrzeba nam w zespole nikogo więcej! — powiedział gniewnie. Wyciągnął rękę i już, już chciał chwycić kotka za kark, gdy ten nastroszył sierść, wyciągnął pazury i groźnie prychnął.

— A niech tam! — Klaun machnął ręką i odszedł, bo właśnie duży miś zarządził przygotowania do występu i próbę generalną. Laleczka wówczas pokazała, co potrafi; ćwiczyła na linie, chodziła po równoważni, fikała koziołki w powietrzu, prawie nie dotykając podłoża. Wszyscy z podziwem patrzyli na jej umiejętności. Nawet klaun stał zdziwiony; nie spodziewał się, że tyle umie.

Po niedługim czasie rozeszła się wieść, że cyrk wyjeżdża na występy. Laleczka z niecierpliwością oczekiwała wyjazdu, opowiadała koteczkowi, jak wyglądają drzewa, kwiaty, o tym, jak jest pięknie, gdy świeci słoneczko i o tym, jak bardzo pragnie spotkać rodziców i brata.

Wreszcie nastąpiła ta długo oczekiwana chwila. Zarządzono zbiórkę na peronie. Lalka nie mogła doczekać się, kiedy wsiądzie do kolejki. Obawiała się co prawda, że rodzice i brat jej nie poznają, ale najważniejsze w tym momencie było opuszczenie krainy ciemności. Trzymając w ramionach kotka, czekała na peronie. Naresczie kolejka wjechała na stację, ale tylko jedne drzwi wagonu otworzyły się. Stanął przy nich duży miś. W łapie trzymał listę i sprawdzał, czy osoba chcąca wejść do środka na niej się znajduje. Tylko te osoby, których nazwiska widniały na liście, mogły wejść do wagonu. Niektórzy z płaczem odchodzili. W końcu mała laleczka trzymając w objęciach kotka, stanęła przed dużym misiem.

— Możesz wejść, mały klaunie, ale kotka musisz zostawić — powiedział, zwracając się do niej.

— Nie, nie, przenigdy go nie zostawię! — krzyknęła. Spojrzała na kotka, który coś jej podpowiadał. — Aha — dodała spokojniej — to jest niemożliwe, bo ja razem z nim występuję. To jest prawdziwy artysta, nikt jak on nie potrafi rozbawić publiczności — przekonywała.

— Nie ma go na liście. Hm... — mruczał duży miś. — Nie, nie może jechać.

— Bez niego nie jadę, a wiesz, jaki mój występ jest ważny — mówiła laleczka.

— Niech już ten kot jedzie z tobą. — Miś z rezygnacją machnął łapą i pozwolił wsiąść małemu klaunowi z kotkiem do wagonu.

Laleczka usiadła przy oknie, za którym rozpościerała się ciemność. Kolejka ruszyła. — Nareszcie — westchnęła mała pasażerka. Kotek z wdzięczności polizał ją po policzku. Była zadowolona ze swego zachowania. Uśmiechnęła się sama do siebie, przez moment wydawało jej się, że maska klauna jakby lekko się odkleiła, sprawdziła to i pociągnęła w okolicy uszu. Niestety, ani drgnęła.

Po kilku minutach w wagoniku zaczęło się robić jaśniej i jaśniej. Serce zabiło silnie w lalczynej piersi, zobaczyła znowu słońce, drzewa i kwiaty. Jak tu jest pięknie! Nigdy wcześniej nie pomyślała, że może być tutaj tak wspaniale. Kotek przyłożył pyszczek do szyby i także przyglądał się z zachwytem, co chwilę wykrzykując:

— Jakie cudowne, jakie piękne! Zobacz to drzewko, a ten dom...

Nie było jednak czasu na rozmowy, ponieważ kolejka nagle zatrzymała się i wszyscy wysiedli. Po wyjściu z dworca wsadzono ich do autobusu.

— Dokąd jedziemy? — spytała laleczka stojącego obok klauna.

— Na plac, gdzie rozłożymy namiot cyrkowy, tam będziemy występować.

— Czy będą nas pilnować? — dopytywała się.

— Nie uciekniesz, a jeśli nawet, to nosisz maskę klauna, zaraz cię odnajdą i za karę na zawsze zostaniesz w krainie ciemności.

Lalka już o nic więcej nie pytała. Spojrzała przez okno. Mijała znane sobie place, domy. Była tego pewna — jest w swoim mieście. Nagle zobaczyła ogromne plakaty, a na nich swoją fotografię. Kotek zobaczył to samo i szybko łapką przykrył usta, dając znak, by milczała. Szukają, szukają, chcą mnie odnaleźć, to znaczy, że kochają, tęsknią — pomyślała z radością. Ze szczęścia przytuliła kotka mocniej.

— Ojej, uważaj, nadmiar uczuć mi szkodzi — powiedział.

Tymczasem laleczka zauważyła i inne rozlepione na murach i płotach plakaty, z których wyglądała jej twarzyczka. Było ich bardzo dużo. Autobus wjechał na wielki, ogrodzony plac. Zatrzymał się. Wszyscy wysiedli i zaraz zabrali się do roboty. Po trzech godzinach namiot był już ustawiony i zaczęły się przygotowania do występu. Powoli schodziła się publiczność. Mała laleczka podglądała przez zasłoniętą kurtynę, czy czasem nie zobaczy swoich rodziców i braciszka. Jednak nigdzie ich nie widziała. Zagrała muzyka i zaczęło się przedstawienie. Na początku linoskoczki popisywały się, chodząc po linach, potem wysoko szybowały pod samym sklepieniem namiotu. Następnie wykonywały różne akrobacje woltyżerki na koniach. Potem była tresura psów i występ iluzjonisty.

— Teraz kolej na nas — powiedział klaun i razem wbiegli na scenę. Przywitały ich oklaski. Kłaniając się, laleczka bacznie zerkała na widownię. Nagle serce skoczyło jej do gardła. Są, są, siedzą tam, w drugim rzędzie! Ale jacyś zmienieni, mama ma smutne oczy i uśmiecha się jakby z przymusem, tak jakoś boleśnie. Tato miś też taki poważny i zmieniony. Zrobił się cały siwy, jak staruszek. Misiak urósł, siedzi już sam na krzesełku. Patrzyła i patrzyła, stojąc bez ruchu, oniemiała.

— Zaczynaj. — Klaun dał jej szturchańca w bok, w ten sposób wyrywając z odrętwienia. Zerwała się z miejsca i zaczęła fikać koziołki, potem chodziła po linie, ale robiła to niby nieudolnie, potykając się czy przewracając, co wywoływało huragan śmiechu na widowni. Publiczność szalała, biła brawo. Zewsząd rozlegały się okrzyki: — Ten mały klaun jest najlepszy, najzabawniejszy! Jeszcze, wspaniale, brawo, bis, bis! Mała laleczka kłaniała się, ale jej oczy były utkwione w rodziców i małego brata. Oni też najwyraźniej ożywili się i nie odrywali od niej wzroku.

Po skończonym występie klaunów zarządzono przerwę. Ludzie zaczęli wychodzić z namiotu. Lalka myślała tylko o tym, jak niepostrzeżenie zbliżyć się do swoich rodziców.

Nagle podszedł do niej klaun i powiedział surowo:

— Nie wolno rozmawiać z nikim z publiczności, jesteś dla nich niemową, pamiętaj — i tu pogroził palcem. Ale laleczka wiedziała, że musi spróbować, że taka okazja może się już nie powtórzyć. Udając posłuszną, odpowiedziała:

— Oczywiście, oczywiście, zresztą nie znam tutaj nikogo.

Wzięła kotka w ramiona i wolno, by nie wzbudzać podejrzeń, oddaliła się. Wyszła z namiotu wprost na swoich rodziców. Misiak ciągnął za łapkę mamę i tatę i wołał:

— Ja chcę do tego małego klauna, ja chcę do małego klauna!

Podeszli bliżej.

— Byłeś naprawdę wspaniały, gratulujemy występu — powiedziała mama smutnym głosem.

— Tak, gratulujemy — jak echo powtórzył mechanicznie tato.

Misiek uważnie jej się przyglądał.

— Mamo, on ma takie same ręce i nogi jak nasza Wiolka! — zawołał nagle.

Zaległa cisza.

— Czy ty... jesteś naszą córeczką? — wyjąkała przejęta mama.

— Tak to ona, ona, ja ją poznaję — powiedział tata.

Chwycili ją w objęcia. Wszyscy zaczęli ściskać się i powtarzać: — Co za szczęście, co za szczęście. — Mała laleczka zapłakała i wraz z jej płaczem maska drgnęła, jakby lekko się odklejając. Próbowała zerwać ją z twarzy. Zabolało, bardzo zabolało, ale cóż znaczył ten ból w porównaniu z radością, która ją spotkała. Była znowu razem ze swoimi bliskimi. Szarpała z całych sił, łzy płynęły z oczu strumieniem, niestety — maska nie chciała się oderwać.

— Bardzo ciężko pracowałam; ćwiczyłam wiele dni i nocy, bo bardzo za wami tęskniłam i bardzo chciałam do was wrócić, ale teraz nie wiem, czy przyjmiecie małego klauna?

— Wiemy, że jesteś naszą Wiolą, chcemy, byś była z nami, a to, że jesteś pajacem, nie zmienia naszych uczuć. Kochamy cię — mówiła mama.

— Wracamy do domu — zakomenderował tato.

Mały Misiak objął ją swymi łapkami.

— Do domu, do domu — powtarzali chórem.

W tym momencie lalka poczuła wielką radość, tak wielką, że płacząc, jednocześnie śmiała się ze szczęścia, i wówczas maska pękła na dwie części, odkleiła się i jak talerz upadła na podłogę, rozbijając się na tysiąc kawałków. Ich oczom ukazała się twarz Wioli. Laleczka dotknęła buzi, chcąc upewnić się. Tak, to była jej twarz, znowu była sobą i odzyskała tych, których tak kochała. Objęła mamę, tatę i Misiaka rączkami.

— Jak ja mogłam być tak niemądra i myśleć, że mnie nie kochacie? — zastanawiała się, patrząc na siwe futro misia i zmienioną twarz mamy.

— Najważniejsze jest to, że się kochamy — powiedziała mama i spojrzała z czułością na córeczkę. — Jestem dumna, że potrafiłaś pokonać tyle przeciwności.

— My też, my też jesteśmy dumni — wtórowali jej tato miś i Misiak. Kotek stał obok, przekrzywił łebek, przyglądał się i zastanawiał, co teraz z nim się stanie.

— Ojej, zapomniałabym, to jest mój kotek, przyjaciel,

i my zawsze... — Nie dokończyła zdania, pytająco patrząc na rodziców.

— Oczywiście, od dzisiaj kotek mieszka z nami — powiedział tato. Po chwili dodał:

— Wracając do domu, wstąpimy na posterunek policji, by wyjaśniła przetrzymywanie naszej Wioli i ukarała winnych.

Laleczka chwyciła Misiaka za rączkę, kotek usiadł jej na ramieniu i razem, szczęśliwi, wracali do domu.

Karolina w krainie baśni

Był ostatni dzień roku szkolnego. Następnego dnia rozpoczynały się wakacje, dzieci biegły do szkół po świadectwa. Tylko Karolina szła bardzo wolno, jakby niechętnie. Nie wiedziała, czy otrzyma promocję do następnej klasy, ma przecież takie trudności w czytaniu. Literki złośliwie upodabniają się do siebie i przez to się mylą, przestawiają, dlatego czytanie sprawia jej dużą trudność. Jeszcze gorzej jest z pisaniem. Nie dość, że wyrazy są jakieś koślawe, nie mieszczą się w liniach, to jeszcze odwracają się, układają się w niewłaściwą stronę, a nieraz bywa, że nawet znikają, tak że potem nie można odczytać wyrazu. Nie lepiej jest z matematyką. Dodawanie, odejmowanie albo zadania z tekstem są zawsze dla niej tak trudne, że nie potrafi znaleźć rozwiązania, podczas gdy innym to się udaje. W zeszycie wszędzie podkreślenia czerwonym długopisem. I te stopnie, tyle jedynek! O tym to wolałaby zapomnieć. Bardzo chciałaby mieć dobre wyniki, ale cóż z tego? Nie wie, jak sobie poradzić, co zrobić, by sobie pomóc. Pani powtarza: Karolinko, musisz ćwiczyć i ćwiczyć, za mało pracujesz. Ale przecież ona chce mieć dobre oceny, nie jest leniwa, tyle godzin spędza nad książkami i zeszytami! Niestety, bez rezultatu.

Rozmarzyła się: Tak bym chciała mieć czarodziejski

długopis, który za mnie odrabiałby lekcje, albo niewidzialnego podpowiadacza. Oczyma wyobraźni widziała, jak pani mówi: Nasza Karolinka znowu dostała piątkę, napisała najładniej i, co najważniejsze, bez błędów. Bierzcie z niej przykład.

Ale rzeczywistość jest inna.

Tu głęboko westchnęła. Pani nigdy tak nie powie, a oni, jej koledzy z klasy powykrzywiają gęby. I te przezwiska: nieuk, głąb i jeszcze inne, gorsze! Nie, tego już nie można wytrzymać. Na samo wspomnienie dłonie zaciskają się w pięści. Nie zostaje im dłużna, o nie, też ich przezywa: jednego od kulfona, bo ma taki śmieszny nos, drugiego od głupiego Jasia, bo ma takie właśnie imię, innego od padalca. Śmieje się głośno, jak ktoś dostanie dwóję albo jedynkę. Bardzo się cieszy, gdy uda jej się zranić do bólu — śmieje się wtedy złośliwie. Koleżanki i koledzy z klasy nie chcą się z nią bawić, a jeśli już, to jest albo straszną czarownicą, albo kotem, który musi spać. Tylko lekcje plastyki lubi. Najchętniej maluje królewnę z krainy baśni, a potem wyobraża sobie, że nią jest. Królewna z marzeń ma piękne, długie, złociste włosy. Tak naprawdę to mama obcięła jej włosy tak krótko, że sterczą jak igły jeża, w dodatku pozbawione są koloru, myszowate — jak mówią dorośli. Ma piękną twarz, rumianą jak jabłuszko. Jej własna, o czym może się przekonać zaglądając do lusterka, jest blada, z piegami, w ogóle jakaś nieszczególna. A jak strojnie jest ubrana, nosi długie, przetykane złotem suknie, na palcach ma pierścionki, na rękach błyszczące bransolety, podczas gdy ona w rzeczywistości nosi stale dżinsy i zwykłe trykotowe bluzy. Nie stać nas — powtarza mama, gdy prosi o kupno jakiegoś modnego łaszka. Tam w tym królewskim świecie wszyscy ją podziwiają, wszyscy chcą się z nią bawić, podczas gdy tutaj dzieci się z niej wyśmiewają, a gdy im opowiada, że na wakacje pojedzie z tatą do Meksyku albo że kupi jej najnowszy model roweru, to krzyczą na nią: Kłamczucha — i nawet skarżą pani. I wtedy ona stoi przed nauczycielką ze spuszczoną głową i powtarza zawzięcie z płaczem: Tak, pojadę do Meksyku na wakacje, pojadę — i czuje się tak, jakby ktoś chciał także zabrać jej marzenia. Nie, na to nie może pozwolić. Pani spokojnie tłumaczy dzieciom: Zostawcie Karolinę w spokoju, przecież wiecie, że ona nie ma taty. Ona tylko tak zmyśla. Prawda? I oczekuje, że Karolinka to potwierdzi, ale ona tego nie może zrobić. Przecież wie, że ma tatę i że on pewnego dnia zajedzie wspaniałym samochodem przed szkołę i zawoła do Karoliny: Chodź, córeczko, pojedziemy na wakacje.

Tak, na pewno tak się stanie. Wszyscy będą jej zazdrościć, och, jak bardzo. A ona nawet na nich nie spojrzy, tylko wsiądzie do tego samochodu i już na zawsze odjedzie.

Takimi oto myślami zajęta, zupełnie dla siebie niepostrzeżenie znalazła się przed budynkiem szkoły. Gwar i hałas był nie do opisania. Dzieci biegały, przekrzykiwały się radośnie. Karolina weszła do klasy. Powitał ją szmer ściszonych głosów: Czy ona przejdzie? — rozlegało się ze wszystkich stron. Chyba nie — mówili jedni i patrzyli na nią z wyższością, inni jakby się litując, snuli przypuszczenia: E... chyba tak, nasza pani jest taka dobra i przepuści ją do następnej klasy.

Usiadła w ostatniej ławce, sama. Dopiero teraz zauważyła, że dzieci są odświętnie ubrane, dziewczynki mają białe bluzeczki i ciemne spódnice, a chłopcy białe koszule, a niektórzy nawet kamizelki i marynarki. Tylko ona jest ubrana tak zwyczajnie, jak co dzień. Zawstydziła się.

W tym momencie do klasy weszła pani nauczycielka. Po chwili rozpoczęło się rozdawanie świadectw. Pani gratulowała jednym uczniom, innym dawała rady, na końcu wywołała Karolinę. Serce podskoczyło jej do gardła, biło jak oszalałe, cała drżała.

— Postanowiłam, że zostaniesz — tu nauczycielka zrobiła pauzę, jakby nabierała powietrza. Zaległa taka cisza, że Karolinie zdawało się, iż wszyscy usłyszą, jak serce jej bije w piersi — z nami. Mam nadzieję, że w przyszłym roku nadrobisz zaległości. Wakacje też są dobre, by ćwiczyć, powtarzać materiał i nie zapominać o szkole.

Te same niezrozumiałe porady, które nie wiadomo, jak zastosować — pomyślała Karolina. Wzięła do ręki świadectwo i wróciła na miejsce. Spojrzała na oceny, same dwójki. Ucz się, tłuku, ucz — rozległo się w klasie. Za chwilę ktoś zawołał: — No, to znowu osła mamy w klasie!

Nie, to było nie do wytrzymania, wrzasnęła obrażona do żywego: — Padalce, zgniłki, głupki, lizusy, ja wam wszystkim udowodnię, wyjadę do Meksyku, do swego pałacu i już do was nigdy nie wrócę, bo, bo — zająknęła się ze zdenerwowania — was nie lubię!

Pani przedtem nie zwracała uwagi na przezwiska, może ich nie słyszała, teraz jednak powiedziała ostrym tonem:

— Karolino, przestań. Żałuję, że dałam ci promocję.

To tak bardzo zabolało. Pani jej nie rozumiała, chyba też nie lubiła, nie doceniała jej wysiłków, starań, rysunków. Rozpłakała się głośno, poczuła się taka bezradna, tak niesprawiedliwie potraktowana. Przecież ona siedzi wiele godzin nad książkami, nawet niektóre czyta, jak na przykład tę o Kopciuszku czy Królewnie Śnieżce.

— Pani jest też niedobra! — zawołała i wybiegła z klasy.

Dokąd pójść, mama i tak na nią nie czeka, stale w pracy albo z koleżankami, a taty nie ma, nigdy go nie widziała. Chyba jest bardzo bogaty i piękny, pewnego dnia przyjdzie i mnie, i mamę zabierze do domu, naszego domu, który będzie zupełnie inny niż ten, w którym mieszkamy. Piękny, duży, z werandą, a nie walący się, od lat niemalowany budynek, w którym mieszkają takie same biedne rodziny jak jej. Będzie miała wiele zabawek, ubrań. Albo — jak to cudownie byłoby odnaleźć drogę do krainy baśni i tam zostać już na stałe! Nie musiałaby uczyć się i wysłuchiwać przezwisk, raniących ocen, nigdy nie byłaby sama, zawsze jakaś wróżka by nad nią czuwała, byłaby podziwiana, kochana, a ile przygód by przeżyła! Tak, tam musi być naprawdę cudownie, tylko jak znaleźć tę drogę?

Ruszam na poszukiwania, tutaj mnie nikt ani nic nie trzyma — myślała. Przeszła kilka ulic i znalazła się w zupełnie nowej dzielnicy miasta. Wydawało jej się, że nigdy tutaj nie była. Szła dalej, przeszła ciemnym tunelem pod mostem i znalazła się w niezwykle pięknym miejscu. Przed nią rozpościerał się ogromny park. Obejrzała się za siebie — w oddali majaczyło miasto. Weszła do parku przez ogromną metalową bramę, szła aleją pośród drzew, krzewów ozdobnych i kwiatów. W głębi parku stał ogromny pałac. Dziewczynka przyspieszyła kroku, biegła prawie i już po chwili stanęła przed wielkimi schodami. Niepewnie rozejrzała się dookoła. Nie zobaczyła żadnych straży. Wbiegła na schody. Zmęczona, ocierając pot z czoła, znalazła się przed wielkimi drzwiami. Rozejrzała się. Widok był piękny, wysokie drzewa sięgające chmur, fontanny, krzewy i kobierce kwiatów. Muszę kiedyś zwiedzić cały ten park — pomyślała. Miasto jakby odsunęło się i gdzieś daleko widniało w tle, jak na fotografii.

Przez moment zastanawiała się: wchodzić do pałacu czy wrócić do domu? Spojrzała na świadectwo trzymane w ręce i przypomniała sobie wydarzenia dzisiejszego dnia.

— Idę — stwierdziła.

Stając na palcach, z trudnością otworzyła wielkie, metalowe drzwi. Zaskrzypiały. Wsunęła ostrożnie głowę i rozejrzała się. W wielkim holu nikogo nie było. Weszła do środka. Drzwi same się za nią zamknęły. Kolumny i podłoga były marmurowe, na ścianach w złotych ramach wisiały obrazy, z których spoglądały różne postacie. To chyba królowie, królowe i ich dzieci — pomyślała Karolina, przyglądając się im uważniej. Od holu dwa duże korytarze, jak skrzydła ptaka ułożone w przeciwstawne strony, prowadziły na wyższą kondygnację. Wolno szła długim korytarzem wyścielanym puszystym dywanem. Zatrzymała się przed pierwszymi drzwiami, otworzyła je bardzo delikatnie, starając się nie zrobić hałasu. Zajrzała przez wąską szparę. Jej zdumienie nie miało granic, gdyż w środku sali siedział Kopciuszek i przebierał mak w popiele, a przebrzydła macocha wymachiwała przed jego nosem miotłą jak rózgą.

Ostrożnie, bezszelestnie zamknęła drzwi, obawiając się, że dostanie się jej tak samo jak Kopciuszkowi. Poszła dalej. W następnej sali w szklanej trumnie leżała Królewna Śnieżka, a obok chodziły zmartwione krasnoludki. W następnej — ależ tak, to był Kot w Butach, a dalej Calineczka i jeszcze inne postacie z różnych bajek. Tak — pomyślała uradowana — znalazłam się w prawdziwej krainie baśni, tutaj nauczę się czarować albo zdobędę czarodziejską różdżkę, albo znajdę złoto i klejnoty i wtedy już ze wszystkim sobie poradzę. Zobaczę jeszcze, co jest na następnym piętrze, a potem zabiorę to, co będzie mi potrzebne.

Wbiegła śmielej po schodach. Tutaj, podobnie jak na parterze, był hol, od którego ciągnęły się korytarze. Zajrzała do pierwszego pokoju, a tam w rytm muzyki ćwiczyły tancerki. W następnym grała orkiestra, w innym szwaczki szyły stroje, fryzjerzy robili peruki, a stolarze meble. Oni chyba tutaj przygotowują się do przedstawień — pomyślała.

Po drugiej stronie korytarza sale wypełnione były książkami, a przy stołach siedzieli ludzie i czytali je. W końcu dotarła do ostatniego pokoju. Był pusty. Weszła do środka, chcąc wyjrzeć przez duże okno. Nie zdążyła jednak tego zrobić, bo usłyszała skrzypienie parkietu. Za nią stał wysoki mężczyzna w czarnej pelerynie i czarnym cylindrze.

Zmarszczył groźnie brwi i spytał:

— Co tutaj robisz, dziewczynko?

— Zwiedzam pałac — wyjaśniła. Po czym szybko dodała: — Czy mógłby mi pan powiedzieć, co to za dziwne miejsce?

— To kraina baśni. Jesteś w pałacu, w którym mieszkają postacie ze wszystkich utworów dla dzieci. Czego chciałabyś się jeszcze dowiedzieć? — spytał uprzejmie.

— Chciałabym dostać tutaj albo czarodziejską różdżkę, albo osiołka, który wypluwa złote monety, albo na-

Magda Kubacka, lat 6

uczyć się czarować, bo, bo ja muszę być ważna, bo oni muszą mnie szanować, ja im muszę pokazać — mówiła głośno, coraz bardziej podniecona.

— To wszystko, o czym mówisz, znajdziesz tutaj, ale nie możesz z tym wrócić do świata, jak wy to mówicie, rzeczywistego. Tutaj, w świecie baśni rządzi magia, czary, ale niczego nie można stąd zabrać. Tam, gdzie mieszkasz, wszystko stanie się bezużyteczne, bezwartościowe, straci swoją moc — tłumaczył spokojnie.

— To znaczy, że tutaj też nie znajdę pomocy? — spytała zawiedziona Karolina.

— Może znajdziesz — zagadkowo odpowiedział czarodziej.

— Ale jak? Proszę, pomóż mi! — mówiła, łykając łzy.

Czarodziej nie odpowiedział. Wyciągnął spod peleryny różdżkę i kreślił nią jakieś znaki, jakby coś wycinał z powietrza, i nagle przed zdumioną Karoliną na podłodze znalazła się książka, a właściwie wielka księga. Otwarła się i Karolinka zobaczyła siebie, jak siedzi nad książkami i próbuje czytać. Strony same się przewracały i po chwili zobaczyła, jak rysuje swe ukochane księżniczki. Zobaczyła siebie w klasie, jak jej dokuczają dzieci i jak ona ze złością, broniąc się, odpowiada im. W tej dziwnej książce jej zdjęcia nie były fotografią, raczej filmem — wszystko było w ruchu. Na następnej stronie zobaczyła siebie ze świadectwem. Nie, tego nie chciała powtórnie oglądać. Zamknęła z hukiem księgę.

— Zobacz dalej — zachęcał czarodziej.

Niechętnie otworzyła i ujrzała, że dalsze strony są puste. Spojrzała pytająco na czarodzieja.

— Ty je zapiszesz — powiedział.

— To znaczy, że ja układam bajkę?

— Tak — rzekł i skinął głową. — Ty, jak każdy człowiek, układasz swoją bajkę.

— Dziwne — zdumiała się. Po zastanowieniu dodała:
— Chciałabym mieć najpiękniejszą.

— Możesz ułożyć, wszystko zależy od ciebie.

— A co powinnam zrobić? — spytała.

— Zostać u nas na jeden bajkowy rok, może się czegoś nauczysz, skorzystasz z pobytu tutaj.

— A co miałabym tutaj robić?

— Wszystko, to znaczy musiałabyś nauczyć się sprzątać, szyć, tańczyć, śpiewać, także recytacji, aktorstwa, tego, co wszyscy tutaj potrafią. Zauważ, proszę, że w krainie baśni bohaterowie potrafią bardzo wiele.

— Czy ja dobrze rozumiem? Oni wszyscy się tego musieli uczyć? — pytała z niedowierzaniem.

— Oczywiście. Kopciuszek musiał nauczyć się wielu rzeczy, także Królewna Śnieżka i wszyscy pozostali. By coś osiągnąć, najpierw musieli bardzo się napracować.

— A nie można bez nauki, tak od razu opanować tych wszystkich umiejętności?

— Nie, to nie jest możliwe nawet w krainie baśni. Ale tutaj mamy niezawodne sposoby nauki.

— E... szkoda — powiedziała Karolina.

Kraina baśni wydała jej się zwyczajna, a nie taka niezwykła, jak z początku myślała.

— Spróbuj — zachęcał ją czarodziej.

Może on nie chce zdradzić swoich sekretów małej dziewczynce?

Może jednak tutaj poznam czary i nauczę się czarodziejskich zaklęć? Pobędę tutaj i wszystkiego się dowiem — postanowiła w myślach, po czym głośno powiedziała: — Zostaję.

W tym momencie uświadomiła sobie, że mama będzie się bardzo niepokoić, gdy nie wróci do domu.

— Ale moja mama...

— Wiem — przerwał jej czarodziej. — Nie martw się, poinformuję mamę — dodał uspokajająco.

Potem pstryknął palcami i nagle na jego dłoni pojawił się mały, bursztynowy słonik.

— Weź go — powiedział. — Od tej chwili on będzie twoim przewodnikiem w krainie baśni.

Dziewczynka nie zdążyła nawet podziękować. Ledwie ujęła podarunek w swoje ręce, czarodziej zniknął, jakby rozpłynął się w powietrzu. Rozejrzała się. Była w wielkiej, pustej sali. Nie, to mi się nie śni — pomyślała. — Naprawdę jestem w czarodziejskim miejscu.

— Ale co teraz powinnam zrobić? — powiedziała do siebie głośno.

— Proponuję pójść do pierwszej sali, gdzie jest Kopciuszek, i nauczyć się jego roli — powiedział mały słonik, podnosząc wysoko trąbę.

— To, to, to ty potrafisz mówić? — zająknęła się ze zdziwienia.

— Tutaj wszyscy to potrafią. — Mówiąc to, poruszył lekceważąco wielkimi uszami, jakby chciał upewnić dziewczynkę, że to naprawdę nic niezwykłego.

— Ach, jak to cudownie, że mam ciebie, jaki ty jesteś piękny! — zachwycała się dziewczynka.

Słonik ucieszył się, słysząc miłe słowa. Uśmiechnął się, pokazując małe jeszcze kły.

— No, to chodźmy — powiedział z zadowoleniem.

Ruszyli i już po chwili byli w wielkiej sali, gdzie cały czas trwało przedstawienie. Weszli w momencie, gdy Kopciuszek przygotowywał się na bal.

— Pomóż mi się ubrać w sukienkę, którą podarowała mi dobra wróżka — powiedział Kopciuszek, widząc ich wchodzących. Karolinka podała jej piękną sukienkę.

— I jeszcze te korale, i pierścionek, o, zapomniałaś o bransolecie. A gdzie moje pantofelki?

Karolinka usługiwała jej, oglądając piękne klejnoty i zachwycając się ubraniem.

— Czy mogę jechać na bal z tobą? — spytała.

— Poproszę dobrą wróżkę, na pewno się zgodzi — powiedział uprzejmie Kopciuszek, który w jednej chwili zamienił się we wspaniałą księżniczkę.

— Zabierz ze sobą ten zeszyt, o, ten — wskazała palcem. — Jeśli zapomnę tekstu, to mi podpowiesz, będziesz moim suflerem, czyli podpowiadaczem. To odpowiedzialna funkcja. Jedna pomyłka, i może się taki bałagan zrobić, że nawet nie chcę o tym myśleć. — Tu Kopciuszek złapał się za głowę z przerażenia.

— Ale ja nie umiem. Czy... — chciała dodać Karolinka, ale w tej chwili słoń nadepnął jej na nogę, dając trąbą znak.

— Czy to jest długi tekst? — spytała przytomnie.

— Ach nie, na pewno dasz sobie radę.

— Poradzimy sobie — powiedział słonik i zawiązał trąbę na pętelkę, dając w ten sposób znak, że wszystko będzie dobrze.

I rzeczywiście, po chwili jechali na bal, ale nie razem z Kopciuszkiem, lecz w następnej karocy. Nie zmieściliby się, suknia zajęła tak wiele miejsca.

Słonik w karocy rozłożył zeszyt i trąbą pokazując całe wyrazy, czytał i prosił, by je za nim powtarzała. Wyszukiwał takie same w innym miejscu.

Nawet nie zauważyła, kiedy zajechali przed pałac.

Oni dalej ćwiczyli i ćwiczyli, siedząc w powozie. Zrobiło się ciemno i nie można było dalej czytać. Dopiero teraz Karolina zorientowała się, że Kopciuszek sam poszedł na bal. Zmartwiła się bardzo, miała przecież pomóc Kopciuszkowi.

— Ona nawet nie zauważyła, że nas nie ma. Tańczy z królewiczem — pocieszał ją słonik.

— Idziemy, może nas potrzebuje — zakomenderowała nieco uspokojona Karolina.

Po chwili płaszczyli nosy na szybie, podglądając przez okno bawiących się w wielkiej sali królewskiej.

— Gdzie są Kopciuszek i królewicz? — spytała Karolina.

— O tam, w drzwiach — pokazał trąbą słonik.

Teraz trzeba będzie podpowiedzieć Kopciuszkowi, że pora wracać do domu, bo jak się zagada z królewiczem, to zepsuje całe przedstawienie!

Podeszli bliżej. Stanęli w mroku. Karolina szeptem powiedziała: — Wybiła północ.

Kopciuszek natychmiast zorientował się, co mu grozi, i bez pożegnania pognał do karety, gubiąc w biegu pantofelek.

— Uratowaliśmy przedstawienie — z zadowoleniem powiedział słonik.

Karolinka uśmiechnęła się radośnie. Była z siebie zadowolona.

— A co będziemy robili jutro? — spytała słonika.

— Jutro też popracujemy z Kopciuszkiem. Sądzę, że on często się myli i zmienia treść baśni. Ty musisz śledzić tekst, który on mówi, i podpowiadać, gdy zapomni. Jesteś suflerem. To bardzo ważna osoba, bez niej dochodzi do wielu pomyłek, kompromitacji i dzieciom baśń przestaje się podobać. Przestają ją czytać, a my siedzimy w pałacu i nudzimy się.

Zajęci rozmową nawet nie zauważyli, kiedy wrócili do pałacu baśni.

— A gdzie będziemy spali? — spytała Karolina.

Słonik nie odpowiedział, tylko wskazał drogę. Weszli do pałacu, na piętro, a stamtąd na strych. Tu było wiele pokoi, wszędzie spały postacie bajkowe. Na samym końcu był pokój słonika i tam też zamieszkali. W tym malutkim pomieszczeniu były dwa łóżeczka, stoliczek, szafa i maleńkie okienko, przez które można było zobaczyć tylko chmurki płynące po niebie.

Następne dni minęły na podpowiadaniu tekstu. W krótkim czasie, przy pomocy słonika Karolinka nauczyła się roli Kopciuszka na pamięć, a także w niezauważalny dla siebie sposób bez trudności opanowała czytanie. Potem przyszła kolej na „Królewnę Śnieżkę" i następne bajki; zawsze pełniła rolę suflera. Trwało to jeden baśniowy rok. Podobało jej się życie w krainie baśni, jednak coraz częściej myślała o mamie, nauczycielce, a nawet o koleżankach i kolegach z klasy. Już nie wydawali się jej tacy okropni, chciała się z nimi spotkać i pokazać, co potrafi. Nauczyła się przecież czytać. Wieczorami rozmawiała o tym ze słonikiem. On potrafił słuchać, rozumiał ją doskonale. Pewnego dnia oświadczył:

— Dzisiaj przyjdzie czarodziej i odbędzie się wielka próba.

— Jaka próba? Co to znaczy? — wypytywała słonika, ale on milczał jak zaklęty.

Wybrali się na przedstawienie o Jasiu i Małgosi, Karolina jak zawsze z zeszytem w ręce, by podpowiadać tym, którzy zapomną tekstu.

W sali Jasia i Małgosi był czarodziej. Karolinka nie widziała go wiele dni, od czasu pierwszego spotkania.

— Małgosia jest chora, ty ją zastąpisz — powiedział do Karoliny. — A słonik będzie twoim suflerem.

Dziewczynka bardzo się ucieszyła. Lubiła rolę podpowiadacza, ale zagranie roli Małgosi to coś zupełnie nowego.

— Czy ja potrafię? — zadawała sobie pytanie.

Słonik tymczasem z zadowoleniem uderzał trąbą w pierś.

— Będę suflerem, będę suflerem — powtarzał z wyraźną radością.

Nie było czasu na zastanawianie, tym bardziej, że nie mogła sprawić zawodu słonikowi, swemu przyjacielowi. Wcieliła się w rolę Małgosi. Udało się: była doskonała! Wszyscy jej gratulowali. Słonik podkreślał z zadowoleniem wszem i wobec, że owszem, owszem, Karolina jest świetną aktorką, ale bez suflera nie byłoby tak udanego przedstawienia.

Od tej pory zastępowała Kopciuszka, Królewnę Śnieżkę, wszystkie inne postacie bajkowe. Była prawdziwą księżniczką z baśni. Chwalili ją wszyscy, także czarodziej, książęta, a nawet Kopciuszek i Królewna Śnieżka, ale najbardziej z jej sukcesów cieszył się słonik.

Karolina była z siebie bardzo zadowolona. Coraz częściej myślała, jak to byłoby dobrze, gdyby koledzy i koleżanki ze szkoły, a także nauczycielka, mogli ją oglądać. Jak bardzo z jej sukcesów cieszyłaby się mama! Tęskniła. Słonik to rozumiał i stawał się coraz smutniejszy, obawiał się, że zechce go opuścić.

Pewnego dnia oświadczył, że czarodziej chciałby się z nimi spotkać. Poszli znowu do tej pustej sali, i jak poprzednio, nie wiadomo skąd czarodziej nagle się pojawił. Miał ze sobą książkę. Podał ją Karolinie, która szybko przerzuciła znane sobie strony i zatrzymała się na ostatnich. Odnalazła siebie. Była i Kopciuszkiem, i Królewną Śnieżką, i wieloma innymi podobnymi postaciami. To była ona, naprawdę ona! Ucieszyła się bardzo. A słonik, który również oglądał książkę, aż pomrukiwał z zadowolenia.

Czarodziej rzekł:

— Karolino, jesteś wspaniałą dziewczynką, potrafiłaś ciężko pracować, jesteś utalentowaną aktorką. Oznajmiam uroczyście, że tutaj w krainie baśni zostajesz księżniczką. Możesz wybrać stroje, jakie sobie tylko życzysz, najpiękniejsze klejnoty, będziesz miała oddaną służbę, to wszystko może być twoje.

Tu wykonał gest różdżką i w jednej chwili sala zmieniła się w królewską komnatę. Na stołach i fotelach leżały piękne stroje i klejnoty. Bogactwo przeogromne. Czarodziej trzymał mieniącą się wszystkimi kolorami tęczy koronę.

— Jest twoja — powiedział i podszedł, by włożyć to cudo na jej głowę.

— Dziękuję! Ale, ale ja, ja chciałabym wrócić do mamy i swojej klasy, i do mojej pani — mówiła przejęta Karolina.

— Bardzo się za nimi stęskniła — powiedział słonik, jakby chciał ją wytłumaczyć.

— No cóż, jeśli nas opuścisz, to obawiam się, że już nigdy nie znajdziesz drogi, by wrócić tutaj, ale to ty podejmujesz decyzję i ponosisz konsekwencje — powiedział zawiedziony czarodziej. — Pamiętaj, tutaj jesteś podziwiana, wszyscy cię kochają, a tam nie wiem, jak będzie. Zostań — zachęcał.

Dziewczynka przecząco pokręciła głową. Do oczu napływały jej łzy, gardło miała ściśnięte, nie mogła nic powiedzieć. Było jej przecież bardzo dobrze w krainie baśni.

Czarodziej przyglądał się uważnie Karolinie, jego spojrzenie mówiło, że wszystko rozumiał. Tak, tak — mruczał pod nosem.

— Jesteś pracowitą i mądrą dziewczynką, dlatego dam ci list do mojego znajomego, dyrektora teatru w mieście, w którym mieszkasz. Zaniesiesz go osobiście, może on będzie ci mógł pomóc. Ta księga jest twoja — powiedział, wręczając jej opasłe tomisko.

Po chwili wyczarował biurko i fotel, na którym usiadł i zaczął pisać list.

Słonik podszedł do niego i zapytał:

— A czy ja mogę pójść z nią?

— Czy wiesz, ile będzie cię kosztowała ta decyzja? — spytał czarodziej.

— Tak, będę tylko bursztynowym słonikiem, nie będę mógł mówić ani chodzić, ale będę z nią. Proszę, zgódź się, proszę — powtórzył.

Czarodziej zastanowił się.

— Dobrze — rzekł po chwili. — Ale gdy już nie będziesz jej potrzebny, to wrócisz?

— Na pewno, na pewno wrócę, gdy nie będę jej już potrzebny — potwierdził bardzo ucieszony słonik.

Łzy ponownie napłynęły Karolince do oczu i potoczyły się po policzkach. Wiedziała, że słonik ją kocha, ale nie podejrzewała, że aż tak bardzo.

— Żegnaj — powiedział czarodziej, wręczając jej dużą kopertę.

Nagle, nie wiadomo skąd pojawił się wiatr, który zawirował wokół niej, objął i uniósł w powietrze. Po chwili postawił na ziemi i rozpłynął się jak mgła. Przetarła ze zdumienia oczy. Ależ tak, była przed swoim domem. W jednej ręce trzymała księgę i list, a w drugiej małego bursztynowego słonika.

Mama wyglądnęła przez okno.

— O, dobrze, że już wróciłaś z tych kolonii, tak się za tobą stęskniłam! — zawołała uradowana.

— Z jakich kolonii? — spytała zdziwiona Karolina.

— Dzwonili, że jesteś na koloniach. Byłam spokojna, mimo że nie pisałaś, ale wiem, że z pisaniem to u ciebie krucho. Najważniejsze, że już wróciłaś — mówiła mama, ocierając łzy.

Karolina pobiegła na górę, do mieszkania. Rzuciły się sobie w objęcia. Uściskom nie było końca.

— Mamo, opowiem ci, co mi się przydarzyło w...

— Kochanie, wybacz, ale nie mam czasu, muszę biec do pracy. O, jestem już spóźniona — powiedziała mama, patrząc na zegarek. Później sobie poopowiadamy — rzuciła, wybiegając z domu.

Karolina została sama. Spojrzała na kopertę. Schowała do kieszonki słonika, wzięła list i poszła szukać jego adresata.

Pytała kilka osób o ulicę, która widniała na kopercie. Pod wskazanym adresem, w samym centrum miasta mieścił się okazały budynek. Na jego ścianie frontowej widniała nazwa Teatr „Kraina Baśni". To tutaj — pomyślała, sprawdzając nazwę na kopercie.

Weszła do środka. Te same marmury, schody, wszystko takie podobne, jakby takie samo, jak w pałacu baśniowym. Stanęła przed drzwiami z napisem: „Dyrektor Teatru". Zapukała i weszła do środka. Przy biurku siedział mężczyzna. Głowę miał schyloną nad jakimś tekstem. Gdy ją podniósł, ujrzała twarz czarodzieja! To chyba on, a może się mylę? — pomyślała. Stała chwilę zdumiona, a potem wyjąkała:

— Dzień dobry... — I wyciągnęła z kieszonki list.

— Dzień dobry. Czym mogę służyć? — spytał uprzejmie mężczyzna, lecz tak obojętnie, jakby ją widział pierwszy raz w życiu. Widząc, że dziewczynka stoi bez słowa, wziął z jej rąk kopertę. Otwarł i odczytał treść.

— Bardzo dobrze, bardzo dobrze — mruczał pod nosem. — Rekomendują cię jako świetną aktorkę. Czy chciałabyś u nas występować?

— Tak, tak! — głośno krzyknęła uradowana Karolina.

— Przygotowujemy dla szkół spektakl zatytułowany „Kopciuszek" i właśnie brakowało nam aktorki, która zagrałaby główną rolę. Wiem, że masz doświadczenie. Zostaniesz zatem naszym Kopciuszkiem? — zapytał.

Dziewczynka z całej siły ścisnęła z radości słonika.

— Oczywiście, że się zgadzam! — zawołała ze wzruszeniem.

Wróciła do domu jak na skrzydłach. Następne dni upływały jej bardzo pracowicie, od rana do wieczora trwały próby. Nawet nie zorientowała się, że zbliża się rok szkolny.

Pewnego dnia dyrektor zwracając się do Karoliny, powiedział:

— Jutro premiera. Mam dla ciebie bilety wstępu, którymi możesz obdarować, kogo tylko zechcesz, może nauczycieli lub koleżanki i kolegów z klasy? Decyzja należy do ciebie. Napisałem list z wyjaśnieniem do twojego nauczyciela, jest w nim też zwolnienie z lekcji. Po południu mamy premierę, rano jest próba generalna, musisz więc być tutaj od rana. Proszę, przekaż to wychowawcy. — To mówiąc, podał Karolinie zapisaną kartkę białego papieru.

Na drugi dzień dziewczynka wpadła jak bomba do klasy, oddała list, zaprosiła dzieci i panią do teatru. Rozdała bilety zdumionym koleżankom i kolegom. I pobiegła czym prędzej przygotować się do występu.

Światła na widowni pogasły. Kurtyna poszła w górę, rozpoczęło się przedstawienie. W kieszonce Karoliny siedział bursztynowy słonik. Niestety, nie poruszał się, był jakby martwym przedmiotem, jednak ona wiedziała, że to nieprawda, że cały czas jest z nią, tylko nie może się poruszyć. Mając go ze sobą, nie czuła lęku przed publicznością, nie bała się pomyłki, była spokojna, pewna siebie. W pierwszym rzędzie siedziała jej klasa, nauczycielka i oczywiście mama. W czasie spektaklu widziała, jak byli zachwyceni jej umiejętnościami: recytacją, tańcem, śpiewem, ale dopiero huragan oklasków w pełni uświadomił jej, jak dobrą jest aktorką. Brawom nie było końca. Kiedy zmęczona weszła do garderoby teatralnej, za nią podążyła cała jej klasa.

— Byłaś nadzwyczajna, nigdy nie myślałam, że jesteś tak uzdolniona, usiądź ze mną w jednej ławce, nie, ze mną, ze mną! — przekrzykiwali się wzajemnie.

Nagle ktoś złośliwie zapytał:

— A jak twój wyjazd do Meksyku?

Karolina roześmiała się i szczerze odpowiedziała:

— Już nie potrzebuję zmyślać, jestem zadowolona z siebie.

Nauczycielka pokręciła z uznaniem głową i powiedziała:

— Podziwiam cię, Karolinko, nauczyłaś się takiego długiego tekstu na pamięć i to w dodatku nie umiejąc czytać.

Karolina odparła:

— Ależ ja to potrafię, nauczyłam się czytać z pomocą sło... — poprawiła się — najlepszego przyjaciela.

— No, no — ze zdumieniem pokręciła głową pani.

Jeszcze raz jej pogratulowali i wyszli z garderoby. Karolina została sama. Odetchnęła z ulgą; była bardzo zmęczona. Włożyła rączkę do kieszonki, by znaleźć bursztynowego słonika, ale go tam nie było. Przeraziła się. Czyżbym go zgubiła? Nie, to niemożliwe, przecież cały czas był ze mną, nie wyciągałam go. Wtem przypomniała sobie słowa słonika, że jak nie będzie jej już potrzebny, to wróci do pałacu baśni.

Pewnie już tam jest, kochany słonik — pomyślała ze wzruszeniem. Po czym zaczęła się przebierać.

Zwaśnione pory roku

Bardzo, bardzo dawno temu na ziemi żyli piękna pani Lato i przystojny, silny pan Zima. Pani Lato miała długie do samej ziemi złote włosy, oczy błękitne jak chabry rosnące w zbożu, natomiast pan Zima miał białe jak śnieg włosy i wąs jak sopel lodu. Pani Lato w sukience, całej ukwieconej, całymi dniami tańczyła boso po polach, sadach, ogrodach i parkach, unosząc się leciutko nad ziemią w rytm podmuchów wiatru. Gdziekolwiek się pojawiła, rozkwitały kwiaty, dojrzewały owoce. Niosła ze sobą ciepło i zapach zboża, lasu, łąki. Nieraz towarzyszyli jej Burza i Deszcz. Pan Zima też był piękny, lecz inny, chadzał zawsze owinięty wielkim kożuchem, w dużej czapie i wysokich butach. Mroził wszystko dookoła, a to, czego dotknął, zamieniał w lód, okrywał ziemię śniegiem jak ciepłą kołderką i malował na biało domy, drzewa, pola. Towarzyszył mu zawsze jego kompan Wiatr, który szczypał mrozem i dbał, by śnieg równiutko na wszystkim się rozkładał. Często też z nimi biegały Śnieżynki, śliczne, białe, puchate dziewczyny, a czasem pojawiała się Śnieżyca, ich mama.

Pani Lato i pan Zima nie znali się, bo gdy ona przebywała na półkuli południowej, to on w tym czasie zawsze był na północy i odwrotnie — gdy ona na północy, to on na południu, ale dużo o sobie wzajemnie słyszeli od Burzy, Wiatru i Deszczu.

Pewnego dnia w dużym mieście przebywali oboje równocześnie. Ona ogrzewała nieliczne, samotnie rosnące drzewa, a on z drugiej strony oziębiał wszystko dookoła. Spotkali się na wielkim placu w środku miasta. On oniemiał z wrażenia, podziwiając jej piękność, a i jej się spodobał — nigdy nie widziała tak białych włosów i nie znała nikogo, kto miałby tak ogromną siłę pozwalającą wszystko w jednej chwili zamrozić. Od tej pory często spotykali się w różnych miejscach, a ludzie mówili: Pogoda powariowała, lato i zima razem.

Rzeczywiście, nie rozstawali się, zostali parą. Zbudowali na skraju lasu wielki dom, z czterema oknami wychodzącymi na wszystkie strony świata: południe, zachód, wschód i północ. Nazwali go Pogodą. Po niedługim czasie urodziło im się dwoje dzieci: Wiosenka, śliczna dziewczynka, i Jesień, dorodny chłopiec. Dzieci podobne były do rodziców, troszkę do Lata i troszkę do Zimy, ale jednak zupełnie inne. Wiosna była ruda, miała mnóstwo piegów i jak mama niosła ze sobą ciepło, a Jesień miał włosy brązowe, jak opadające liście z drzew, i jak tata był silny, potrafił targać gałęzie, smagać je zimnym powietrzem.

Wiosna i Jesień bardzo się kochali, ale niedługo żyło im się szczęśliwie. Zima i Lato często kłócili się, raz po raz wybuchały awantury. Zdarzało się, że Lato parzyło swym ciepłem Zimę, a potem Zima w rewanżu odmrażała Lato. Przyjaciele — Wicher, Burza, Deszcz i Śnieżyca, którzy ich często odwiedzali, włączali się w rodzinne kłótnie. Brali udział w sporach Lata i Zimy. Wicher szarpał gałęziami i wyrywał korzenie drzew w ogrodzie, niszczył dach, Burza grzmiała i rzucała błyskawicami, Deszcz sprowadzał ulewy, a Śnieżyca śnieg. Lato i Zima oddalały się coraz bardziej od siebie, nie lubiły przebywać razem. Lato przesiadywała z Burzą i Deszczem, a Zima z Wichurą i Śnieżycą, piękną i zimną jak on sam.

Na ziemi ludzie cieszyli się, że nareszcie jest tak, jak dawniej, albo zima, albo lato. Bardzo to jednak martwiło Wiosnę i Jesień.

Co będzie z nami, kto się nami zaopiekuje, jeżeli Zima i Lato rozejdą się, dokąd będziemy musieli pójść, gdzie zamieszkamy? Dlaczego oni tak się nie lubią? Dlaczego chętniej spędzają czas z przyjaciółmi niż z nami? Może gdybyśmy byli inni, to chcieliby z nami przebywać. Co powinniśmy zrobić, by to zmienić? — rozmyślały, ale nie mogły znaleźć odpowiedzi. Bały się o tym rozmawiać nawet ze sobą, takie to było straszne.

Przypominały im się słowa Lata: Zobaczcie, zobaczcie, jak zachowuje się wasz ojciec Zima, przecież on was lekceważy, nigdy się z wami nie bawi. A Zima powtarzał: Znajomi dla Lata najważniejsi, za nic ma męża i dzieci, nic dla niej nie znaczymy.

Te słowa raniły i bolały, bo dzieci kochały i Zimę, i Lato.

— Pamiętasz, jak Zima zabierał nas na sanki i narty, jak razem bawiliśmy się ze Śnieżynkami? — pytał, nie oczekując odpowiedzi, Jesień.

Wspomnieniami odpowiadała mu Wiosna:

— A pamiętasz, jak Lato pływała z nami łodzią po jeziorze, jak razem z nami się kąpała?

Takie były teraz ich rozmowy, ale smutku i niepewności nie udawało się odpędzić.

Pewnego dnia mama poszła na spotkanie z Burzą

Hania Sieracka, lat 7

i Deszczem, a tata przed wyjściem z domu powiał takim chłodem, że zrobiło się bardzo zimno, nieprzyjemnie.

Zostali sami. Było im tak smutno, że cichutko popłakiwali. Mijały minuty, godziny, a rodzice nie wracali. Zapadła noc i ciemność okryła wszystko dookoła jak szczelny materiał. Dzieci bały się, że już na zawsze zostaną same. Wyszły więc przed dom i wołały: — Lato, Zima, wracajcie! — ale tylko głuche echo im odpowiedziało: Lato ...to ...to, zima ...ma ...ma, wracajcie ...cajcie ...cie... — coraz ciszej i ciszej.

— Może oni już nas nie kochają i nigdy tu już nie wrócą? — spytał Jesień, łykając łzy.

— Musimy coś postanowić, musi być jakieś rozwiązanie — mówiła gorączkowo Wiosna, ocierając rączkami łzy płynące po twarzy.

— Ale kto mógłby nam pomóc? Z kim moglibyśmy o tym porozmawiać? — zastanawiał się Jesień.

— Może Dzień, on widzi wszystko, co się dzieje na świecie, może on wie, gdzie są Zima i Lato i wskaże, w którą stronę pójść, by ich znaleźć, albo doradzi nam, co powinniśmy zrobić — powiedziała Wiosenka.

— Tak, to jest dobra myśl — pochwalił Jesień. — Wyjdę i poproszę chmurkę, by nas zaprowadziła do Dnia.

Po chwili wrócił, prowadząc obłoczek, jak konia za uzdę.

Rozsiedli się na nim wygodnie. Było im tak dobrze, jak na miękkiej kanapie i popłynęli po niebie w kierunku Dnia.

— Chmurko, powiedz nam, gdy już zobaczysz Dzień — poprosił Jesień.

Zasnęli znużeni. Kiedy otwarli oczy, leżeli na łące. Świtało. Niedaleko nich młodzieniec tak jasny, że prawie przezroczysty, zbierał leżące w trawie promyczki i wkładał je do wielkiej torby, którą miał na ramieniu.

— Co pan robi z tymi promykami? — spytała zaciekawiona Wiosenka, podchodząc bliżej.

— Zbieram je. To moja praca. Jeśli chcę, by było jasno, to muszę znaleźć wiele promyczków, a potem rozłożyć w jednym miejscu, wtedy one świecą i jest dzień. Potem zbieram je i przenoszę w inne miejsce, i znowu w inne. — Czy wy kogoś szukacie? — zainteresował się nagle.

— Czy pan nazywa się Dzień? — spytali.

— Tak — odparł. — A jaką do mnie macie sprawę?

— Pan Dzień, pan Dzień! — powtarzali, przekrzykując się radośnie. Nagle zabrakło im słów i zamilkli oboje, bo nie wiedzieli, jak powiedzieć obcej osobie o tym, że się boją, że nie wiedzą, i że... są tacy smutni.

— Domyślam się, po co do mnie przyszłyście. Wszystkie chmurki o tym mówią. Wy jesteście Jesień i Wiosna? — upewnił się Dzień.

Dzieci kiwnęły głowami na potwierdzenie.

— Martwicie się, że Lato i Zima nie lubią ze sobą przebywać, czy tak? — spytał.

— Właśnie tak — odparły, wzdychając.

— Pozwólcie, że trochę się zastanowię — poprosił Dzień.

Po chwili powiedział:

— Myślę, że dwie stare wróżki, które nazywają się Zrozumienie i Zgoda, mogą wam pomóc, tylko one. Tylko one — powtórzył.

— A gdzie je możemy spotkać?

— Żyją daleko stąd, bardzo daleko. Droga prowadząca do nich jest trudna i niebezpieczna. Musicie przejść przez krainę Nocy, a władczyni tej krainy będzie was zachęcała do skosztowania eliksiru, który zabiera pamięć, może zesłać na was sen, nie słuchajcie jej obietnic — przestrzegał. — Jeśli jej posłuchacie, to staniecie się własnymi cieniami i już na zawsze tam zostaniecie, nigdy nie wrócicie do domu. Pamiętajcie, będzie wam obiecywała wiele wspaniałości, ale nie wierzcie jej, nie wierzcie! I cóż, decydujecie się tam pójść? — zapytał.

— Idziemy — powiedział Jesień.

— Idziemy — powtórzyła za nim Wiosna.

— A czy Noc czegoś się obawia? Pytam o to, bo chciałbym wiedzieć, jak przed nią się obronić — dowiadywał się Jesień.

— Noc i jej cienie boją się światła, uciekają przed nim. Ja nie mam tam wstępu, nie pomogę wam — wyjaśnił Dzień. Po chwili dodał ze smutkiem:

— To moja siostra, ale niestety, nie spotykamy się.

Po czym znalazł duży liść i na nim promykiem narysował jak na mapie drogę, którą muszą podążać, by znaleźć dobre wróżki. Dał im też po jednym promyczku, żeby im jak latarki wskazywały drogę. Na pożegnanie pogłaskał ich po główkach i powiedział:

— Dzielne dzieciaki, bardzo dzielne.

Podziękowali Dniowi i ruszyli w drogę. Szli, szli bardzo długo, było coraz ciemniej. Wyciągnęli promyczki, które oświetlały im drogę. Jesień zerkał co chwilę na plan, chcąc sprawdzić, czy idą w dobrym kierunku.

Nagle stanęli na wzgórzu. W dole rozpościerała się ciemność. Tu mieszka Noc — pomyśleli oboje. Trzymając się za ręce, szli bardzo wolno. Ze zdziwieniem stwierdzili, że są w mieście, w którym jest ogromny hałas i ruch. Mimo że było ciemno, co chwilę ktoś obok nich przechodził, potrącał, zaczepiał. Dzieci nie odpowiadały na zaczepki. Starały się schodzić z drogi przechodniom. Przyglądały się im uważnie i mimo panującego mroku spostrzegły, że wszyscy tutaj są cieniami. Wiele z nich siedziało, a nawet spało na ulicy, tak jakby nie miały gdzie mieszkać.

— To jakieś okropne miasto — szepnęła Wiosenka do brata. On trzymając ją za rękę, przyspieszył kroku.

Nagle ktoś zagrodził im drogę. Przed nimi stała dziwna postać w wielkiej pelerynie, w czarnym kapeluszu, spod którego wysuwały się długie, czarne włosy. W ręku trzymała parasol.

— A dokąd to, moi drodzy? — zapytała przymilnym głosem, wywołującym jednak nieprzyjemne dreszcze.

— Idziemy do wróżek Zgody i Zrozumienia — odpowiedział zgodnie z prawdą Jesień.

— Dojdziecie tam, dojdziecie, ale po co się tak spieszyć, najpierw musicie być moimi gośćmi. Zapraszam, gorąco zapraszam — mówiła postać. — Pewnie jesteście spragnieni. Mam taki wspaniały napój, po którym będziecie czuli się wypoczęci, po prostu poczujecie się jak nowo narodzeni. A może macie jakiś kłopot, to i na to też znajdę radę. Mam lekarstwa, które pomogą wam o wszystkim zapomnieć, albo takie, po których zażyciu będziecie najmądrzejsi i rozwiążecie wszystkie swoje problemy. Mam też lekarstwa, które pozwolą wam się wiecznie weselić, bawić. Czy to nie wspaniale skorzystać z takiej okazji? Zapraszam, zapraszam, nic od was nie chcę, robię to z przyjaźni. Ogromnie mi się podobacie, a dla przyjaciół zrobię wszystko — przekonywała.

To Noc, przed którą ostrzegał Dzień — pomyśleli Wiosna i Jesień.

— Nie, dziękujemy, dziękujemy — odrzekli i chcieli

ruszyć dalej. W tym momencie Noc rozgniewała się i krzyknęła ze złością:

— Kto to o mnie plotki rozpowiada? Pewnie Dzień to robi z zazdrości, że mam tylu przyjaciół! On wygaduje niestworzone rzeczy, plotkarz, nie wierzcie mu.

Widząc przerażenie na twarzach dzieci, znowu zaczęła mówić przymilnym głosem:

— Nie obawiajcie się, ja jestem dobra. Chcę, żebyście byli szczęśliwi. Chodźcie, pójdziemy razem pobawić się.

— Wskazała parasolką otwarte na oścież drzwi, zza których dochodził gwar i raz po raz wychodziły, zataczając się, cienie.

— Dziękujemy bardzo — grzecznie, ale stanowczo powiedziała Wiosenka.

— Przekonaj ją, mam dla was tyle niespodzianek! — Noc zwróciła się do jej brata. — Zapraszam, zapraszam — powtórzyła znowu.

— Nie, dziękujemy — równie zdecydowanie odparł Jesień.

— Nie chcecie po dobroci, to zatrzymam was siłą, zapadniecie w sen, z którego tylko ja mogę was obudzić — rzekła groźnie Noc. — Straże, straże, złodzieje! Zabrać ich do więzienia! — krzyczała.

Przerazili się nie na żarty i rzucili do ucieczki. Biegli przez ciemne ulice, między domami, a za plecami słyszeli nawoływania: — Łapać ich, łapać!

Jesień trzymał za rękę Wiosenkę, która z wolna traciła siły.

— Już nie mogę, zostaw mnie — szepnęła.

— Nie, tego nigdy nie zrobię. Mamy przecież promyki, a Dzień mówił, że cienie boją się światła. Musimy je wyrzucić za siebie, a później schować się w jakiś kącik.

Jesień rzucił promyki wprost na goniących ich. Później dzieci wpadły do bramy, a dalej na podwórko i przykucnęły za pojemnikami na śmieci. Trzęsły się ze strachu, ale nawoływania goniących z wolna ustawały. Nikt nie wszedł na podwórko i ich tam nie szukał. Poczekały kilka długich chwil, ale nie wychodziły z ukrycia, bo wiedziały, że straż może wrócić.

Znowu zaległa cisza. Upewniwszy się, że nikogo nie ma dookoła, rodzeństwo ruszyło w drogę. Było tak ciemno, że poruszali się z wielką trudnością. Ulice wiły się jak niekończący się labirynt.

— Nie wiem, jaką drogę wybrać, by wyjść z tego miasta — mówił zmartwiony Jesień.

— Przecież mamy mapę — przypomniała mu Wiosenka.

— Jest tak ciemno, że jest bezużyteczna. Co robić, co robić? — zastanawiał się.

Nagle błyskawica przecięła niebo, potem następna i następna.

— To Lato z Burzą nas szukają! Pioruny pokazują, gdzie są, w tym kierunku musimy podążać! — wołał uradowany Jesień.

W tym też momencie poczuli zimny podmuch wiatru.

— Zima z Wiatrem też nas szukają! — krzyknęła radośnie Wiosna.

Dzieci podążyły we skazanym kierunku. Robiło się coraz jaśniej, świtało. Wychodząc z doliny Nocy, zobaczyły z daleka Lato, Zimę i ich przyjaciół. Po chwili rzuciły się im w ramiona. Uściskom nie było końca.

— Tak bardzo martwiliśmy się o was, kochamy was bardzo, dlaczego opuściliście dom? — z wyrzutem w głosie pytali Lato i Zima, ocierając łzy z radości.

Wiosna i Jesień nie wiedzieli, co odpowiedzieć, milczeli. Przecież to rodzice zostawili ich samych w domu i nie wracali, cóż więc mieli począć? Po chwili oznajmili:

— Idziemy do wróżek Zrozumienia i Zgody.

Lato i Zima popatrzyli na siebie i po chwili powiedzieli:

— To my wybierzemy się tam razem z wami.

Pożegnali się z Burzą i Wiatrem, którzy wrócili do swych obowiązków. Zajrzeli do mapy i ruszyli w kierunku, gdzie mieszkały wróżki. Minęli niewielki las, za którym rozpościerała się mała wioska. Z daleka widać było czerwone dachy i dymiące kominy. Na skraju lasu stała chałupka, przed którą siedziały dwie stare kobiety. Jedna czytała wielką księgę, a druga coś pisała w wielkim zeszycie.

— To chyba Zrozumienie i Zgoda — szepnęła Wiosna do brata.

Podeszli bliżej. Staruszki były do siebie bliźniaczo podobne, ubrane też były identycznie. Obydwie były w chusteczkach i obszernych, sięgających ziemi spódnicach, na których były wyhaftowane ich imiona: Zgoda i Zrozumienie.

— Dzięki tym napisom możemy je rozróżnić — szepnął Jesień do Wiosny.

— Jak miło, że jesteście. Dzień mówił nam o was, witamy — mówiły, uśmiechając się serdecznie na powitanie.

Ten uśmiech był tak ciepły i szczery, że Wiosenka i Jesień, a także Zima i Lato od razu nabrali zaufania do staruszek i opowiedzieli o swoich problemach.

Wysłuchawszy ich, Zrozumienie powiedziała:

— No tak, no tak, sprawa jest bardzo poważna.

Zwracając się do Jesieni i Wiosny, spytała:

— Czy można połączyć wodę i ogień?

— Nie — chórem odpowiedziało rodzeństwo.

— Słusznie — pochwaliła wróżka Zrozumienie.

— A czy można jednocześnie zamrozić wodę i ją zagotować?

— Oczywiście, że nie — odparły dzieci.

— A czy oliwę można połączyć z wodą? — pytała dalej wróżka.

— Także nie — odpowiedziały.

— Ale dlaczego zadajesz nam te pytania? — spytał Jesień.

— Właśnie, dlaczego? — powiedziała Wiosna.

— Pomyślcie, może znajdziecie odpowiedź.

— Czy to znaczy, że oni, Zima i Lato, nie mogą być razem? — spytał Jesień.

— To oni muszą sobie na to pytanie odpowiedzieć — powiedziała wróżka.

— Ale my chcieliśmy otrzymać inną radę od was, zupełnie inną! — wykrzyknęła z wyrzutem bardzo zmartwiona Wiosenka.

— Czego od nas oczekujecie ? — spytała Zgoda.

— I ja, i Jesień chcemy być z naszymi rodzicami, to znaczy, że ja chcę być i z Zimą, i z Latem, Jesień także — powiedziała Wiosna.

— To jest możliwe — odparła wróżka.

Zaległa cisza, wszyscy oczekiwali na jej odpowiedź.

— Zima i Lato nie zgadzają się, ale nie przestali być waszymi rodzicami. Bardzo was kochają, czego dowiedli, szukając was po całym świecie, i wreszcie znaleźli w krainie Nocy. Wy też ich bardzo kochacie, bo dotarliście aż tutaj, narażając się na niebezpieczeństwo.

One wszystko rozumieją — pomyślał Jesień.

— Może — kontynuowała wróżka Zgoda — w waszym domku zwanym Pogodą raz mieszkałaby Zima z Wiosną, a potem Wiosna byłaby z Latem, dalej Lato byłoby z Jesienią, a potem znowu Jesień z Zimą i tak dalej. W ten sposób Lato i Zima byliby od siebie odseparowani, a wy zawsze bylibyście razem z rodzicami, raz z jednym, a raz z drugim. Może to rozwiązanie nie jest najlepsze, ale możliwe do zrealizowania. Jeśli zatęsknicie za sobą, to przecież zawsze może Wiosna odwiedzić Jesień i odwrotnie. Co myślicie o tej propozycji?

Będą razem z rodzicami i nie będzie kłótni, swarów i awantur! Dzieci spojrzały na Zimę i Lato, od nich przede wszystkim oczekując akceptacji.

— Spróbujemy — odpowiedzieli, po raz pierwszy od wielu miesięcy zgodnie.

Uściskali wróżki i wrócili do domu.

Od tej pory ludzie mówili: Nareszcie po kolei przychodzi do nas zima, a potem wiosna, lato i jesień. Jak dobrze — powtarzali bardzo z tego zadowoleni.

Wilczek i jego przyjaciel króliczek

Wszystkie zwierzęta, zarówno te mieszkające w lesie, jak i te w ogrodzie zoologicznym wieczorami opowiadają sobie niezwykłą historię, jaka przydarzyła się małemu wilczkowi. Posłuchajcie i wy.

Na obrzeżach wielkiego miasta mieści się ogród zoologiczny. Z jednej strony sąsiaduje z gęstym lasem, z drugiej z hałaśliwym miastem. Codziennie tramwaje, autobusy i auta przywożą tłumy dorosłych i dzieci, które zwiedzają zoo, przyglądając się ciekawie mieszkającym tam zwierzętom. Wzdłuż głównej alei mają swoje domy lwy, żyrafy, tygrysy, słonie i krokodyle. A foki i białe niedźwiedzie posiadają nawet baseny do kąpieli. W piękne, słoneczne dni pływają, baraszkują w orzeźwiającej wodzie, a potem wylegują się na brzegu. Bawoły, zebry czy dzikie świnie mieszkają przy bocznych alejkach. Ich domy nie są tak okazałe, także ogrody są mniejsze i nie ma tutaj basenów. Przez cały dzień panuje hałas nie do opisania. Ranek obwieszczają małe, chińskie koguciki, które tak głośno pieją, że nawet największego śpiocha zrywają ze snu. A papugom dzioby od samego rana do późnej nocy wprost się nie zamykają. Raz po raz rozlega się też ryk lwa, przypominający wszystkim o tym, kto tu jest najważniejszy, kto jest królem zwierząt. Wieczorem wyją wilki, miauczą perskie koty. Tylko nocą, gdy panuje nieprzenikniony mrok, jest cisza — znak, że wszyscy śpią.

Na końcu ogrodu, przy samym płocie, miała swój skromny dom rodzina wilków. Mieszkali tam bardzo srogi wilczur, jego żona i troje małych wilczków. Tata był duży, szary, miał groźne kły, które stale szczerzył, bo zawsze był zagniewany. Mama była troszkę mniejsza, futro miała czarne, przetykane srebrną nitką i ostre zęby, które pokazywała, grożąc wszystkim. Dwa małe wilczki były czarne, podobne do rodziców jak dwie krople wody, ale trzeci był inny, niepodobny do rodziny. Rudy, piegowaty i w dodatku miał malutkie, równe, białe ząbki. Tata wilczur wstydził się takiego nieudanego syna, często to go uderzał w ucho, to popychał czy boleśnie gryzł. Jak był w złym humorze, to nawet chwytał boleśnie zębami za futerko, potrząsał nim w złości, podnosił w górę i rzucał na ziemię. Mama też nie lubiła swego rudego synka: ciągnęła go za uszy, dawała kuksańce w bok, odpychała od siebie. Nigdy go nie przytuliła ani, zwyczajem wilków, nie wylizała sierści. Do miski zawsze dochodził ostatni, wyjadał resztki jedzenia, jakie zostawały po rodzicach czy braciach.

W domu wilków często dochodziło do sprzeczek, kłótni, ba, nawet awantur między rodzicami. Gryźli się wtedy okropnie i mimo, że nie było w tym winy rudego wilczka, zawsze on zbierał baty, więc gdy tylko słyszał groźne wycie, to chował się w najciemniejszy kąt tak, by nikt go nie wypatrzył. Jednak nie zawsze udało mu się ujść złości rodziców. Gdy był pobity, to nie mógł wychodzić na podwórko, by nikt nie dowiedział się, co też dzieje się w domu wilków.

Często siedział skulony pod stołem i myślał o tym, jak

bardzo go tutaj nie lubią, jak go krzywdzą. Wtedy jeżyła mu się sierść na grzbiecie i taka złość się w nim zbierała, że warczał pod nosem:

— Już ja was pogryzę, niech tylko dorosnę, odpłacę za wszystko, oj, odpłacę. — Z tego gniewu to nawet rany mniej bolały, gdy je zwyczajem wilków lizał.

Pewnego dnia, wieczorem, wilczur wrócił bardzo rozgniewany. Grał w karty z innymi wilkami i przegrał jeden ze swych pięknych, długich kłów, z których był bardzo dumny. Wyglądał okropnie — wilczur bez kła! Czy można sobie wyobrazić większe oszpecenie, większe nieszczęście? Wszedł do domu, trzasnął przy tym ze złości głośno drzwiami i rozejrzał się gniewnie. Wilczyca, mimo że była na niego wściekła, że tyle czasu spędza poza domem, teraz pokładała się ze śmiechu.

— Szczerbaty wilk, szczerbaty — powtarzała, zaśmiewając się do rozpuku.

— No teraz to będziesz miał szacunek u mrówek — stwierdziła.

Wilk wściekł się, słysząc jej śmiech i słowa. Rozejrzał się dookoła i dojrzał rudego skulonego pod krzesłem. Zawył groźnie i ruszył w jego kierunku. Mały nie miał gdzie uciekać. Wilczur boleśnie jednym kłem, tym, który mu pozostał, wbił się w jego futerko, zacisnął zęby, ugryzł jeden raz i drugi. Mały wił się i skomlał, ale wilczur nie puszczał. Podrzucał go jak piłkę w górę i szarpał. Wilczyca nawet nie spojrzała w ich stronę, nie broniła synka. Podeszła do małych i zaczęła z nimi bawić się na podłodze. Wilczur widząc, że nie interesuje się rudym, rzucił go w kąt, jakby był zabawką. Rudy cichutko płakał z bólu, bo bał się ponownie wzbudzić gniew wilczura.

Wyczołgał się niepostrzeżenie przed dom. Było ciemno, zimno. Leżał tam bardzo długo. Słyszał dochodzące z domu głosy, śmiech. Nikt jednak do niego nie przyszedł, nikt go nawet nie zawołał. Nie mógł zasnąć, rany go bardzo bolały. Zmarznięty obudził się wcześnie, próbował się podnieść, ale było to bardzo trudne. Nogi miał poranione, jedno ucho naderwane. Cały był obolały.

Tutaj nikt mnie nie kocha. Może znajdę innych rodziców, takich, co przytulą, pogłaszczą, a może nawet pobawią się — pomyślał.

Podniósł się i wolno, z trudem przecisnął się przez klatkę. Nawet nie odwrócił głowy, nie spojrzał na podwórko. Szedł przed siebie. Mijał domy, których lokatorzy jeszcze spali. Na jednym z podwórek zauważył ruch, ktoś krzątał się przed domem. Zatrzymał się i przyjrzał się uważnie. To był duży kot — żbik leśny. Podszedł do płotu i zapytał:

— Czy mógłbym z tobą zamieszkać?

— Nie wiesz, że jesteśmy odwiecznymi wrogami? Uciekaj stąd, bo ci przyłożę — powiedział żbik i pogroził wielkimi grabiami, które trzymał w łapach.

Nasz wilczek pokuśtykał dalej. Przechodził koło stawu, właśnie rodzina łabędzi wybrała się na ranny spacer.

— A może, może wy się mną zaopiekujecie? — spytał z nadzieją w głosie.

— Chyba sobie żarty stroisz. Wilk i łabędzie! Nie, to niemożliwe, czym byś się u nas żywił, czy pływałbyś całe dnie z nami po stawie? Nieee, to niemożliwe. A cóż to za wariat? Jakie brudne i poszarpane ma futerko, pewnie to zabijaka i rozbójnik — zastanawiały się i chichotały, rozmawiając między sobą.

Wilczek spuścił tylko głowę i zmartwiony szedł dalej. Nagle ktoś wołał:

— Wilczku, kochany wilczku!

Kto tak ładnie mnie woła? Chyba to niemożliwe, by ktoś na mnie zwrócił uwagę — pomyślał i z niedowierzaniem, ale i nadzieją rozglądnął się dookoła. Ależ tak, to wielki krokodyl zapraszał go do siebie. Stał przy płocie i mówił słodkim głosem.

— Kochany wilczku, przyjdź, proszę, do mnie, widzę, że masz takie brzydkie rany, wyliżę, opatrzę i będziesz zdrów jak ryba. Chodź tutaj, ty mój cukiereczku kochany, chodź — przekonywał.

Otwarł furtkę na oścież, zapraszając do środka.

Wilczek stanął niezdecydowany, nie wiedział, jak postąpić. Czuł, że krokodyl jakoś tak nieprawdziwie, fałszywie namawiał.

— Idź, idź, a on cię zje na śniadanie — ostrzegł go siedzący na płocie gołąbek i zagruchał: — Gru, gru, gru.

Krokodyl podskoczył rozwścieczony w kierunku ptaka, otwierając paszczę. Wówczas wilczek zobaczył jego zębiska.

— O, nie, nigdy do ciebie nie przyjdę — powiedział, bo wystraszył się nie na żarty. I poszedł dalej.

Gołąbek tymczasem towarzyszył mu, fruwał nad jego głową i wypytywał:

— Gdzie mieszkasz? Dlaczego tak wcześnie rano jesteś sam? Kto cię pogryzł?

Wilczek nie wiedział, dlaczego rozgniewał się na gołąbka. Może przeszkadzało mu wypytywanie się ptaka, a może poczuł się ośmieszony, że nie odkrył prawdziwych zamiarów krokodyla? Próbował podskoczyć z zamiarem wyszarpnięcia mu kilku pięknych piór.

— Ach, ty okropny wilczku, mogłem pozwolić, by zjadł cię krokodyl — powiedział gołąb i odfrunął obrażony. Wilczek w odpowiedzi wyszczerzył groźnie zęby.

— Kto by tam zwracał uwagę na takiego małego gołębia — powiedział do siebie i lekceważąco machnął łapą. Szedł dalej samotnie.

Każdego napotkanego mieszkańca zoo prosił o przyjęcie do domu. Wszyscy mu odmawiali. Nie chciała go foka, nie chciała żyrafa, zebry, a nawet szop i dzika świnia. Wszędzie spotykała go odmowa. Wilczek zrozumiał, że nie może zostać w ogrodzie zoologicznym, że nie ma tutaj dla niego miejsca. Spuścił głowę, bo zasmucił się ogromnie. Niezauważony przez nikogo opuścił zoo i skierował się w stronę lasu. Na jego obrzeżach rosły gęste krzewy. Rozglądał się, szukając dla siebie wygodnego miejsca. Położę się tutaj i odpocznę, nikt mi nie będzie przeszkadzał — zdecydował.

Patrząc na bujną trawę i rosnące dookoła krzaczki, pomyślał: O, jakie wspaniałe miejsce na legowisko.

Rozłożył się wygodnie, gdy nagle usłyszał jęki i piski dochodzące z bliskiej odległości.

No nie — pomyślał za złością — tutaj nie odpocznę, nie wyliżę ran.

Zagniewany wstał i poszedł w kierunku, z którego dochodził płacz i wołanie o pomoc. Kilka metrów dalej zobaczył liska, który nie mógł się poruszyć, bo wpadł w sidła. Noga tkwiła w potężnych, metalowych zębach i widocznie bardzo bolała przy każdym ruchu.

— Ratuj, zawiadom lisy, one mnie stąd wyciągną, proszę — błagał lisek.

— Co mnie to obchodzi — odpowiedział wilczek i wzruszył ramionami. — Nie moja noga, nie mój kłopot. Mnie też nikt nie pomógł.

Odwrócił się i poszedł, nie zważając na wołania lisa.

Doszedł do pierwszych drzew i zmęczony już chciał

się położyć pod rozłożystym dębem, gdy zobaczył, że ktoś mu się zza ogromnego pnia przygląda. To mały królik wyciągnął szyję, nastawił uszy na baczność i patrzył. Wilczkowi to się nie spodobało. Pomyślał: Już ja temu małemu królikowi pokażę, kto jest ważny, silny, pogryzę go boleśnie. Nie będzie na mnie wybałuszał oczu ani wyśmiewał się. I mimo że czuł zmęczenie i ból, to złość znowu taka w nim narosła, że poderwał się w kierunku ciekawskiego królika. Ten jednak zwinnie podskoczył i uciekł. Oddalił się kilka kroczków, obejrzał się i zobaczył, jak szczerząc zęby wilczek z trudnością, wolno za nim biegnie. Poczekał więc na niego chwilę, po czym szybko uciekł mu sprzed nosa.

Zabawia się ze mną, zaraz zobaczy, co to znaczy zadzierać z takim jak ja — pomyślał wilczek.

Ze wszystkich sił zapragnął go złapać i dać nauczkę. Był już tuż, tuż przy nim, prawie czuł, jak zęby zagłębiają się w króliczym futerku, gdy rozpędzony nie zauważył wielkiej dziury, którą to króliczek bez trudu przeskoczył. I wilczek wpadł do środka. Pewnie zginąłby, gdyby nie to, że na dnie było dużo liści, które utworzyły jakby pierzynkę. Upadł miękko. Otrząsnął sierść i zadarł głowę. Zobaczył królika, który stał na krawędzi.

— Nic ci się nie stało? — spytał.

— Nie lubię cię, idź sobie — zawarczał gniewnie wilczek.

— Nie mogę cię zostawić, bo bez mojej pomocy stąd nie wyjdziesz i zginiesz — powiedział królik.

Wilczek nie słuchał. Ze złości zaczął gryźć siebie, rzucać się, warczeć.

— Przestań, przestań! — wołał, widząc to przestraszony królik.

128

Jagoda Górecka, lat 8

— Zostaw mnie, chcę być sam, nikogo nie potrzebuję — wył wilczek.

— Zaraz coś dobrego ci przyniosę, proszę, tylko nie wyj — poprosił królik, po czym zniknął.

Jak ja go nie lubię! Czego on ode mnie chce? Przyczepił się i mnie prześladuje. Nikogo nie lubię i siebie też nie. Jestem rudy i brzydki, nikt mnie nie chciał, nawet wilki mnie gryzły — myślał wilczek i złość jak para wolno z niego uchodziła, stawał się za to coraz smutniejszy, skulił się i bez ruchu trwał zatopiony w niewesołych wspomnieniach.

Nagle usłyszał ponownie głos królika.

— Już jestem, mam dla ciebie najpiękniejszą marchew, zobacz, jaka jest soczysta i czerwona, aż ślinka leci na samą myśl o niej.

To mówiąc, rzucił marchew do dołu. Upadła koło nosa wilka.

— E... — mruknął wilczek — to ty nie wiesz, że wilki nie przepadają za warzywami? — Po chwili zapytał: — A dlaczego mi ją dałeś?

— Bo pewnie jesteś głodny. Pomogę ci wydostać się z dołu, ale musisz obiecać, że mnie nie pogryziesz. Jesteś chory, ale zębiska masz duże i mógłbyś mi zrobić krzywdę.

Pochwalił moje zęby! To nieprawdopodobne, że jest coś we mnie, co się komuś podoba — pomyślał wilczek. I łaskawiej spojrzał na królika.

— Naprawdę uważasz, że moje zęby są niebezpieczne?

— Ho, ho, nie chciałbym mieć z nimi bliskiego kontaktu — zapewnił królik. — Ale na pewno takie zęby przydadzą się przy jedzeniu marchewki. Zjedz, zjedz — zachęcał.

Ten królik jest naprawdę bardzo męczący — pomyślał wilczek — ale skoro tak się o mnie troszczy, to spróbuję jego pożywienia.

Krzywiąc się niechętnie, zjadł marchew.

— Smakuje? — dopytywał się króliczek, który śledził każdy kęs wilczka.

— Nie, nie smakuje, ale coś muszę przecież zjeść — nieuprzejmie odparł wilczek.

— Widzę, że zupełnie nie znasz się na przysmakach — odparł króliczek, który przełykał ślinkę. — Obiecujesz, że mnie nie pogryziesz? — zapytał ponownie.

— Wyciągnij mnie i nie marudź — odpowiedział wilczek.

— Przyniosę wielki koszyk, przywiążę do niego linę i zrzucę do dołu, zawołam swoich braci i razem ciebie wyciągniemy.

To powiedziawszy, zniknął. Wilczek słyszał jeszcze przez chwilę tupot jego stóp, potem zrobiło się cicho.

Ten królik nie jest taki najgorszy — zdążył jeszcze pomyśleć i zasnął.

Obudził go gwar głosów dochodzących z góry, z krawędzi dołu. Uwijały się tam zajączki, króliki, a nawet małe borsuki i wiewiórki.

Nagle przed jego nosem pojawił się wiklinowy kosz.

— Wejdź do środka! — komenderował króliczek.

Wilczek posłusznie usadowił się i kosz zakołysał się w jedną i w drugą stronę, po czym wolno uniósł się w górę.

Dochodziły go głosy: — Uf, jaki ciężki jest ten wilk... — Ciągnij, jeszcze, jeszcze. — Nie mogę! — Wytrzymaj, wytrzymaj.

Naresznie koszyk znalazł się przy krawędzi. Zobaczył

wtedy, jak zwierzęta ustawione w szeregu trzymają długą linę i ciągną ją, wytężając się przy tym okropnie.

Po chwili kosz stanął na trawie i wilczek wygramolił się z niego. Zwierzątka rozpierzchły się i schowały za drzewami, jakby się go obawiały.

No, nie jest źle, skoro się mnie tak boją — pomyślał i wyszczerzył groźnie zęby. Zwierzęta w popłochu pouciekały. Pozostał tylko króliczek, który schował się znowu za najbliższym drzewem.

— Dlaczego tak się złościsz? Przecież ci pomogliśmy, tak nam się odpłacasz? — spytał.

— Po co mnie ratowaliście, ja was o to nie prosiłem — odpowiedział wilczek butnie. Poczuł jednak, że królik ma rację, że jest niewdzięczny.

— Idę sobie — powiedział królik. Machnął zrezygnowany łapką i już chciał odejść, gdy wilczek zapytał:

— Dlaczego mnie uratowałeś, dałeś marchewkę i wyciągnąłeś z głębokiego dołu?

— Ktoś przecież musiał ci pomóc — odparł królik i dodał: — Już ci mówiłem.

Wilczek spuścił głowę, zawstydził się, że tego nie rozumie. Królik nie wie, że jemu, wilczkowi nikt wcześniej nie chciał pomóc i dlatego jest to takie trudne do zrozumienia. Zastanawiał się.

— To znaczy, że ja powinienem też pomóc, gdy ktoś tego potrzebuje? — spytał.

Królik zdumiał się, że można pytać o tak oczywiste sprawy i tylko kiwnął potakująco głową.

— No, to muszę wrócić na skraj lasu — powiedział do siebie wilczek.

— Dlaczego? — zapytał królik.

— Bo tam jest ktoś, kto potrzebuje pomocy. Jak chcesz, to możesz tam iść ze mną — zaproponował.

— No, to biegnijmy! — zawołał królik.

I zgodnie, jak dwaj przyjaciele, skierowali się na skraj lasu. Wilczek zaprowadził królika w gęste krzaki, gdzie leżał lisek. Nie ruszał się już, widocznie był bardzo osłabiony, otwarł tylko oczy, gdy ich zobaczył. Z rany w nodze sączyła mu się krew.

— Myślałem, że mi nie pomożesz, straciłem nadzieję. Pomyliłem się, jesteś dobry — powiedział cichym głosem.

Wilczek zawstydził się. Szybko, chcąc ukryć zmieszanie, powiedział do królika: — Trzeba wezwać jego rodzinę, ale nie wiem, gdzie on mieszka.

— Pokażę ci, gdzie jest ich dom — powiedział królik.

Pobiegli. Wilczek biegł co sił w nogach i, o dziwo, nie czuł bólu. Po chwili natknęli się na norę lisa.

— Ja tam nie mogę pójść, sam rozumiesz — wyjaśnił królik. — Ty sobie poradzisz — dodał.

Wilczek zaczął wczołgiwać się do nory lisa, jama prowadziła do bardzo ładnego, podziemnego domu. Zatrzymał się przed drzwiami, zadzwonił. Po chwili stanął przed nim duży, rudy lis.

— A cóż to za dziwny kuzyn przyszedł do nas w odwiedziny? — zapytał.

— Szybko, trzeba ratować liska, który wpadł w sidła kłusowników i leży ranny! — zawołał wilczek.

— Ranny? Pobiegnijmy! Gdzie on jest? — powtarzały lisy, które nie wiadomo skąd nagle zjawiły się gromadą i otoczyły go kołem. — Prowadź! — powiedziały do wilczka.

Po chwili byli już na miejscu. Wilczek stanął obok, za

drzewami i razem z królikiem obserwował, jak lisy uwalniają rannego i zabierają do swojej nory.

Zostali sami. Wówczas wilczek przypomniał sobie, że on nie ma dokąd iść. Co ja teraz zrobię? — zastanawiał się w myślach.

Królik widząc, że wilczek posmutniał, spytał:

— Może mógłbym ci w czymś pomóc?

— Nikogo tutaj nie znam, nie mam dokąd pójść, nie mam gdzie spać — cicho powiedział wilczek.

— Zabiorę cię do mojego domu, tam chętnie cię przyjmą. Jest tylko jeden warunek, nie możesz szczerzyć zębów i straszyć.

— Chciałem, byś się mnie bał, bo sądziłem, że wtedy zrobisz wszystko, co zechcę — odpowiedział szczerze wilczek.

— Jak będziesz mnie straszył, to nie będę cię lubił i nie będę się bawił z tobą — odparł królik.

— Rzeczywiście, że też o tym nie pomyślałem — przyznał wilczek. Jaki on mądry — pomyślał i z uznaniem spojrzał na królika. — A czy w twoim domu można się bawić? — spytał.

— W co tylko zechcesz — powiedział króliczek.

— To ja będę się z tobą boksował — zaproponował wilczek.

— Nie, ja wolę biegi i skoki — odpowiedział mu królik i zaśmiał się. Widząc, że wilczek nie rozumie, wyjaśnił: — W boksie i w zapasach ty będziesz silniejszy, a ja lepszy w biegach, każdy ma jakieś zdolności. Nie, taka zabawa nie będzie dla nas odpowiednia. A co sądzisz o grze w piłkę nożną? — spytał.

Ten pomysł przypadł wilczkowi do gustu.

— W piłkę nożną, doskonale. Chodźmy do twojego

domu! — krzyknął uradowany. Po chwili z niedowierzaniem zapytał: — Czy mnie tam naprawdę przyjmą?

— Na pewno — stwierdził królik i poprowadził wilczka do swego domu.

Wydawało mu się, że szli bardzo długo, może dlatego,
że nie mógł się doczekać chwili, gdy pozna rodzinę
królika, a może dlatego, że wszystko go bolało, albo rzeczywiście dom królików znajdował się w samym środku
lasu.

— Daleko jeszcze? Daleko? — pytał co chwilę.

— To już tutaj — powiedział w końcu królik i łapką
wskazał małą polanę, która była ledwie widoczna wśród
drzew. Podeszli bliżej i wilczek zobaczył wiele podobnych domków, wokół których kręciły się króliki i zające,
borsuki, a nawet sarny i jelenie.

— W którym domu mieszkasz? — spytał.

Króliczek nie odpowiadał, szedł przodem. Podeszli do
drewnianego płotu, a potem wąską ścieżką do małego
domku, którego ściany były białe, a dach czerwony. Na
werandzie siedziała wielka mama królica. Widząc go-
ścia, podniosła się i wyszła na spotkanie.

— A cóż to za nowy przyjaciel mego syna? — powiedziała, serdecznie zapraszając do środka.

Wilczek wszedł i znalazł się w wielkim pokoju, gdzie
mieścił się długi stół, najważniejszy mebel w tym domu.
Na nim rozstawione były miseczki, z których dochodził
smakowity zapach.

— Pewnie jesteś głodny? — zwróciła się mama Królika do wilczka. Nie czekając na odpowiedź, mówiła dalej:

— Siadaj do stołu, zaraz przyjdą pozostali domownicy,
moje dzieci. Później sobie porozmawiamy.

Wkrótce pokój zapełnił się króliczkami, zajączkami,

a nawet myszkami polnymi. Każdy wskakiwał na swoje miejsce i po chwili łyżki były w ruchu. Wilczek usiadł obok króliczka i spróbował zupki. Była bardzo smaczna.

— Jak tu miło — stwierdził, gdy po napełnieniu brzuszka rozglądał się dookoła.

Zwierzątka rozmawiały ze sobą, a mama dolewała tym, którzy chcieli dokładkę. Było ciepło i jakoś tak przyjemnie. Nikt się nie dziwił i nie wypytywał o nic wilczka. Po obiadku dzieciarnia rozbiegła się po całym domu, a do nich podeszła królica.

— Pozwól, że ci pomogę — powiedziała do wilczka i dodała: — Te rany trzeba wydezynfekować, bo inaczej czeka nas wizyta u lekarza.

Z szafki stojącej pod ścianą wyciągnęła jakieś maści i płyny, po czym fachowo zabrała się do opatrywania ran. Wilczek raz po raz zaciskał zęby z bólu, ona wówczas przerywała robienie opatrunku, głaskała go delikatnie i pytała: — Czy mogę dalej opatrywać, czy chcesz chwilę odpocząć?

Jaka troskliwa — myślał wilczek i czuł, że mniej boli.

Króliczek stał obok nich i trzymał wilczka za łapkę, a gdy widział, że bardzo cierpi, to ściskał mocniej. Po skończonym zabiegu wilczek zamiast podziękowania pierwszy raz w życiu polizał ich po policzkach. Królica i królik bardzo się ucieszyli, a wilczek nie wiadomo dlaczego nagle się rozpłakał. Coś w nim pękło, coś, co budziło w nim złość, coś, co zabraniało mu być miłym. Teraz płakał i z każdą łzą czuł się lepiej, czuł, że gniew, smutek wypływają z niego, że wyrzuca ze łzami wszystko, co go raniło. Królica przytuliła go do siebie, a on wtedy zapłakał jeszcze głośniej. Płakał i płakał, a później w jej ramionach z wolna uspokoił się.

— Usiądziemy tam, w rogu tego pokoju. Tam, gdzie od dzisiaj będzie twój kącik, i porozmawiamy — zaproponowała.

Wilczek opowiedział jej bez wahania o wszystkim, co go spotkało, jak wilczur go gryzł, jak wilczyca odpychała od siebie, nie broniła, i jak to się stało, że opuścił dom. Mówiąc to spuszczał raz po raz łepek, bo bolało to, że się go wstydzili, nie chcieli.

Królica wówczas głaskała go po głowie, a on opowiadał dalej. Potem przytulił się do niej i zasnął.

Obudził się rano. Królica już krzątała się po pokoju. Zauważyła, że otwarł oczy i powiedziała, nachylając się nad nim:

— Dobrze, że już się obudziłeś, zaraz będzie śniadanie.

— Widziałem tutaj wiele różnych zwierząt. Nie tylko króliczki, lecz myszki, zajączki, czy one też są twoimi dziećmi? — spytał.

— Jestem mamą ich wszystkich i jeśli chcesz, to twoją też będę — powiedziała.

Wilczek o nic więcej nie pytał. Podszedł do niej i rzekł:
— Mamo.

A ona mocno go przytuliła.

Kamień i łódka

Wysoko, bardzo wysoko w górach wznosił się wulkan, górował nad całą okolicą. Był najwyższy i najpotężniejszy. Z pogardą spoglądał na małe pagórki, doliny czy przepływające rzeczki.

— Jestem najsilniejszy, największy, nikt się ze mną nie zmierzy, nikt mnie nie zwycięży! — grzmiał głośno. Straszył wszystkich dookoła. Złoszcząc się i grożąc, potrząsał gniewnie ziemią i innymi górami. Stale chmurzył się. Nad jego wierzchołkiem unosił się czarny dym. Wyrzucał z wnętrza ziemi groźne, trujące opary, gorącą lawę, która parzyła i zamieniała wszystko w pył. Góry chętnie zmieniłyby sąsiedztwo, nie lubiły wulkanu. Ale cóż mogły zrobić? Nie mając nóg, nie mogły się oddalić, jedyne, co im pozostało, to udawanie, że nie słyszą tych krzyków, grzmotów, trzęsienia. Odwracały się z niechęcią w drugą stronę. Wulkan jednak nie zwracał uwagi na zachowanie sąsiadów i dalej hałasował, groził, niszczył wszystko dookoła.

Pewnego dnia, a był to zwyczajny dzień, taki podobny do innych, znowu zaczął straszliwie grzmieć i wyrzucać lawę na niewinnych sąsiadów. Później z wielką siłą wydobywał ze swego wnętrza kamienie i wyrzucał je na zewnątrz. Boleśnie ranił inne góry i rosnące na nich rośliny. Wyrzucając kamienie, niemiłosiernie uderzał nimi o siebie, miażdżył, kaleczył. W końcu porzucał je, nie troszcząc się o nie zupełnie.

Mały kamyczek, który upadł na zbocze góry, bardzo ucierpiał od gniewu rodzica, który poobijał go tak straszliwie, że miał okaleczone, ostre brzegi. Jednak chciał wrócić z powrotem do wulkanu. Tam, w środku był jego dom, a wulkan był jedynym opiekunem, jakiego znał. Próbował wspinać się po stromych zboczach, wolniutko, kroczek po kroczku, coraz wyżej i wyżej, by z powrotem niepostrzeżenie, cichaczem znaleźć się w jego wnętrzu. I już, już był blisko brzegu krateru, gdy wulkan wypatrzył go i niemiłosiernie odepchnął, a potem wylał na niego wrzącą lawę.

— Nie zdążyłem nawet dorosnąć, stać się wielką górą, porosnąć lasem, gdy wyrzucono mnie z domu. Jestem małym kamykiem, cóż ja zrobię, jak poradzę sobie? — lamentował.

Usłyszał to wulkan i rzekł:

— Musisz sam sobie radzić. Masz ostre brzegi, możesz skaleczyć każdego, kto się do ciebie zbliży. — I zaśmiał się złośliwie: — Ha, ha, ha!

Echo powtórzyło: ha, ha, ha. Kamień próbował jeszcze coś tłumaczyć, o coś prosić, ale wulkan już więcej nim się nie interesował i nie odpowiadał na jego błagania.

Jestem mały, to prawda, ale mogę być tak zły jak wulkan. Wszyscy wówczas będą się mnie bali i schodzili z drogi — pomyślał.

Zaczął rozpychać się, kaleczyć inne kamienie leżące spokojnie obok. Zazgrzytały niezadowolone i odsunęły się od niego. Po chwili był sam.

Dobrze mi, jestem zimny, nic od nikogo nie potrzebuję — przekonywał siebie. Tak naprawdę to nie był pewny, czy chce być sam. Jednak trwał w złości, położył się grzbietem do góry, by każdego, kto się zbliży, skaleczyć. I tak leżał, i leżał. Nikt się jednak nie pojawiał. Nikt na niego nawet nie spojrzał.

Dzień po dniu mijał i nic się nie działo. Z wolna coraz mniej było w nim złości, a coraz więcej smutku i żalu. Pewnie leżałby tam bardzo długo, gdyby nie mały chłopiec, który przechodził obok. Trzymał w ręku korę drzewa.

— O, jaki ostry kamień! — krzyknął uradowany i podniósł go z ziemi. — Jest lepszy od nożyka — dodał, oglądając go uważnie. — Zrobię z kawałka kory, przy twojej pomocy, piękny żaglowiec — powiedział.

Kamyczek rozchmurzył się, słysząc słowa zachwytu. Rzeczywiście był ostry i mógł się przydać. Zaczął z zapałem strugać drewno, by pokazać, co potrafi. Z zadowoleniem obserwował, jak z wolna kawałek kory zamieniał się w piękną łódkę. Teraz głaskał ją i szlifował. Po chwili była gotowa. Spojrzał na swe dzieło i poczuł dumę, że tego dokonał. Chłopiec tymczasem odłożył kamień i zbiegł ze zbocza, by wypróbować łódkę na małej rzeczce, która wiła się u podnóża góry. Kamień znowu został sam i zasmucił się. Zrobił taką wspaniałą łódeczkę, a nie zdążył się nią nawet nacieszyć. Chciał na niej popływać. Ogarnęły go pełne żalu myśli. Nikt go nie chce, wulkan wyrzucił, łódka odpłynęła, chłopiec nie zatrzymał. Czy on już na zawsze będzie sam? Tak bardzo chciałby mieć dom, miłych sąsiadów, z którymi bawiłby się, rozmawiał.

Niebo zachmurzyło się. Spadł deszczyk, obmył, oczyścił z wszystkich zabrudzeń i delikatnie pogłaskał kamyk. Zza chmur ponownie wyjrzało słonko. W blasku promieni kamień przyglądnął się sobie i zauważył, że już nie jest tak ostry i lekko połyskuje.

Nie jestem już taki okropnie kanciasty, poobijany — pomyślał.

Rozejrzał się dookoła. Wokół rosły krzewy i trawa. Próbował z nimi rozmawiać, ale poruszały tylko liśćmi, szeleściły, nie rozumiały mowy kamienia.

Idę stąd, idę szukać domu, nie chcę być sam — zdecydował.

I ruszył ze wzgórza, kulając się w dół, w stronę rzeki. Spadając, przyspieszał coraz bardziej i bardziej, aż z wielką siłą wpadł w sam środek rzeki. Opadł na dno i znalazł się obok podobnych do siebie kamieni. Już nie rozpychał się, nie uderzał innych. Zapytał uprzejmie:

— Czy mogę się do was przyłączyć? Czy przyjmiecie mnie do swojej rodziny?

— Nie możemy, mamy już zbyt wiele małych kamieni, którymi musimy się opiekować. Idź, szukaj szczęścia gdzie indziej — zaszemrały kamienie.

— Ale dokąd mam iść? Gdzie ja, mały kamień mogę znaleźć dom, kto mnie przyjmie? — pytał bardzo zmartwiony odmową.

— Idź do pięknego morza, wielkiego i silnego, ono na pewno cię przyjmie, tam jest odpowiednie miejsce dla ciebie. Morze ukołysze, utuli falami, wybierze dla ciebie najlepsze miejsce na dnie, skąd będziesz mógł podziwiać piękne ryby, rośliny, jakich nigdzie nie spotkasz. Tam znajdziesz to, czego pragniesz najbardziej.

— Czy wy też tam zmierzacie? — spytał zaciekawiony kamień.

— Nie, tutaj jest nasz dom. Mniejszy, biedniejszy, ale nasz — odpowiedziały.

— Jak mogę dotrzeć do morza? — dopytywał się bardzo zainteresowany.

— Droga jest długa i ciężka, nie każdy może ją przebyć, nieraz wartki strumień wyrzuca kamienie na brzeg, ale ty jesteś młody i silny. Spróbuj. Rzeka wskaże ci drogę, a morze sam poznasz, gdy do niego dotrzesz — odpowiedziały kamienie.

— Nie mogę zostać z wami, więc muszę ruszyć w drogę — powiedział mały kamyk i westchnął głęboko. Podążył z nurtem rzeki. Wiła się pośród gór, opadając coraz niżej i niżej. Kamień raz po raz boleśnie się ranił, uderzając o dno, ale bardzo chciał dotrzeć do miejsca, o którym mówiły kamienie, dlatego nie zważając na nic, podążał naprzód. Nagle rzeka rozlała się szeroko na dużej przestrzeni. Kamień osiadł na piasku, był zmęczony. Pora odpocząć — zdecydował. Rozłożył się wygodnie i rozglądał się dookoła.

Co robić dalej? Może zostać tutaj, wygrzewać się na słonku, zrezygnować z celu podróży, przecież jest już bardzo zmęczony. Ale czy wówczas nie będzie już zawsze tęsknił za morzem? — zastanawiał się.

W tym momencie zobaczył na środku rozlewiska łódeczkę, która nabrała już tyle wody, że była bliska utonięcia. Niewiele myśląc, rzucił się w jej kierunku. Dostał się pod spód i od dołu podniósł. Przewróciła się na bok i ugrzęzła na kamieniach. Odpoczął chwilę i dalej ochoczo pracował, ratując ją. Odwrócił łódkę, wylał wodę i po chwili postawił na kamieniach. Bardzo był z siebie zadowolony. Ale robota jeszcze nie była skończona, by łódka mogła znowu płynąć, należało ją zepchnąć w nurt wody. Chwilę odpoczywał i przyglądał się jej uważnie. Nagle poznał — to jego dzieło, to łódka, którą zrobił!

— Dziękuję. Uratowałeś mnie, bez twojej pomocy

zatonęłabym. Już drugi raz się spotykamy — powiedziała łódka.

Ona mnie też pamięta — ucieszył się kamień, a głośno powiedział:

— Szkoda, że musisz odpłynąć.

— Płynę w dół rzeki, do morza. Może wybrałbyś się ze mną w podróż? — spytała łódeczka.

— A czy ty... ty chcesz tego? — pytał z niedowierzaniem. I szybko dodał: — Jestem tylko zwykłym kamieniem, zimnym, ostrym — jakby chciał upewnić się, że łódeczka naprawdę chce jego towarzystwa.

— Nie jesteś ostry — odparła.

Spojrzał na siebie i zobaczył, że jego brzegi zaokrągliły się. Zdumiał się.

— I ładnie połyskujesz — dodała.

Czy śnię, czy to możliwe, bym ja, kamień, którego wulkan wyrzucił z domu, okaleczył, aż tak bardzo się zmienił? — zastanawiał się.

— Popłyń ze mną, z tobą będę czuła się bezpieczna — prosiła łódeczka.

Kamyk rozpromienił się z radości.

— Dobrze, tylko zepchnę cię w nurt rzeki — odparł. Popychał łódeczkę aż do miejsca, gdzie woda wartko płynęła. I rzeka porwała łódeczkę, wartki nurt zabrał ją na sam środek, a po chwili znikła w odmętach wody.

Kamień wówczas po raz pierwszy zapłakał. Położył się na piasku i leżał bez ruchu. Stracił swą barwę, zszarzał.

Już nigdy nie znajdę swej łódeczki, zawsze będzie sam — myślał.

Nagle ktoś podniósł go i włożył do kieszeni. Było ciemno. Kamień jednak był tak smutny, że niewiele obchodziło go, co się z nim stanie.

Tymczasem porwana przez rzekę łódeczka płynęła bardzo szybko. Kołysała się bardzo niebezpiecznie, co chwilę nabierała wody.

— Kamyczku, kamyczku! — wołała zrozpaczona.

Nagle jakieś ręce wyciągnęły ją z wody.

— To chyba ta sama, zrobiona z kory łódka, którą wystrugał ostry kamień — powiedział chłopiec, oglądając ją ze wszystkich stron.

— Kamień, dzięki, któremu stałam się łódką, był niezwykły, nie tylko pięknie mnie wyrzeźbił, ale jeszcze uratował przed zatopieniem — powiedziała łódeczka, ale chłopiec tego nie usłyszał. Usiadł na brzegu i wyciągnął z kieszeni kamień. Położył go obok łódki. Ta aż podskoczyła z radości, widząc przyjaciela. On też bardzo się ucieszył.

— Zbuduję na rzece zaporę z kamieni i tam umieszczę łódeczkę — postanowił chłopiec i ochoczo zabrał się do pracy.

— Uciekajmy stąd! — krzyknęli zgodnym chórem kamień i łódka. Kamień popchnął łódeczkę na wodę, wskoczył do niej i szybko odpłynęli.

Chłopiec tymczasem rozglądał się zdziwiony, gdzie podziały się leżące jeszcze przed chwilą kamień i łódka. Nigdzie ich jednak nie widział. W tym czasie oni płynęli odważnie, środkiem rzeki. Kamień sterował. Zaświeciło słońce i zabłyszczał kolorami szczęścia.

Jaki on piękny — pomyślała łódka. On spojrzał na nią i też pomyślał: Jaka wspaniała łódeczka, najpiękniejsza ze wszystkich, jakie widziałem.

I tak płynęli wiele dni, aż ujrzeli morze. Było wielkie, większe od gór, które znali, od wulkanu, silniejsze od rzeki, która ich tutaj przywiodła. Było też piękne, tak piękne jak błękit nieba, z którym łączyło się w oddali w jedną całość.

Czy ono zechce nas przyjąć? Jest takie wspaniałe, potężne, a ja jestem tylko małym okruchem góry — zastanawiał się kamyk.

— Morze, morze, czy zgodzisz się być naszym domem? — zawołał, jak potrafił najgłośniej. — Morze, morze! — wołał.

I morze usłyszało. Na spotkanie wysłało fale, które swym szumem oznajmiły:

— Ty, mały kamyku, zamieszkasz na dnie morza, w ogrodzie morskim. Na pewno spodoba ci się czysty piasek, sąsiedztwo perłowych muszli, ryb i roślin, wszyscy przyjmą cię z radością. A ciebie, mała łódeczko, wyrzucimy na brzeg małej zatoczki, byś mogła tam wygrzewać się na słonku i kąpać się, gdy przyjdzie ci na to ochota.

Słysząc to, kamień zawołał: — Ja też chcę zamieszkać na brzegu!

— Rezygnujesz z mieszkania na dnie morza, gdzie jest najpiękniej, to niemożliwe, nieprawdopodobne, jeszcze nikt nie odrzucił tak wspaniałomyślnej propozycji morza — powiedziały zdziwione fale.

— Nie, nie zmienię swojej decyzji, bo chcę być z łódką — powtarzał kamyk uparcie.

Poszumiały między sobą i po krótkiej naradzie łaskawie oświadczyły:

— W takim razie zabierz sobie łódeczkę na dno morza.

— Nie mogę, ona zbutwieje, zniszczy się szybko, jest przecież zrobiona z kory drzewa — tłumaczył przestraszony kamyk.

Agatka Pękalska, lat 6

— Nie może, bo ona się zniszczy, bo zbutwieje —
powtarzały fale jedna drugiej jego odpowiedź. — A od
kiedy to kamień troszczy się o innych? — pytały siebie
zdziwione.

— Wyrzućcie nas na brzeg — poprosił.

— Rób, jak chcesz — powiedziały trochę rozgniewa-
ne odmową i z szumem wyrzuciły kamień z łódeczką na
brzeg. Po czym odpłynęły.

— Czy zastanowiłeś się, z czego rezygnujesz? Przecież szukałeś domu, nigdzie nie znajdziesz piękniejsze-
go miejsca niż ogród na dnie morza — powiedziała
łódeczka.

— Już dawno go znalazłem — odparł kamień.

W odpowiedzi zakołysała się radośnie. Później ruszyli
razem w poszukiwaniu miejsca, które byłoby dla nich
najlepsze.

O odważnej dziewczynce
i złym czarowniku

Daleko stąd, daleko, w krainie baśni żyła mała dziewczynka. Mieszkała ze swoimi rodzicami w wielkim mieście, w którym domy stały obok siebie tak blisko, że oknami jedne drugim ciekawie zaglądały do środka. Wiele widziały, wiele słyszały. Posłuchajcie zatem opowiadania, które znają milczące domy. Posłuchajcie, o czym wieczorami rozmawiają...

Mała dziewczynka wpadła do swego pokoju roześmiana, w rękach trzymała małego pajacyka, który śmiesznie podrygiwał rączkami i nóżkami w rytm każdego jej ruchu. Jego usta sięgały od jednego ucha do drugiego. Mogłoby się zdawać, że są na nich zawieszone. Uśmiechał się całą buzią. Rozradowana dziewczynka usiadła na dywanie przykrywającym podłogę w jej niedużym pokoju.

— Jaki ty jesteś wesoły — powiedziała, sadzając go sobie na kolanach. — Czarownik, który mi ciebie podarował, często przychodzi do moich rodziców. Bardzo mnie lubi, ciągle robi mi różne niespodzianki — obdarowuje zabawkami, bawi się ze mną i rozmawia — mówiła, przyglądając się pajacykowi z wielkim zadowoleniem. Po czym przytuliła go do policzka i ucałowała serdecz-

146

nie. W tym momencie poczuła, że pajacyk objął ją delikatnie swymi rączkami, jakby odwzajemniając uścisk.

— Czy ja śnię? Nie, to niemożliwe — powiedziała głośno. Wyciągnęła przed siebie rączki i ponownie uważnie przyjrzała się zabawce. Malowane oczy pajacyka już nie wydawały jej się tak wesołe. Przeciwnie, patrzyły na nią smutno. Ponownie wyciągnął rączki, jakby pragnął ją objąć, przytulić, pocieszyć.

— Co to za czary? Ten pajacyk nie jest zabawką? — zastanawiała się dziewczynka.

Nie miała jednak czasu na rozważania, bo drzwi przeraźliwie skrzypiąc, otworzyły się, a w nich stanął czarownik. Był okryty czarną peleryną, na głowie miał spiczasty kapelusz z ogromnym rondem, spod którego patrzyły kłujące oczy, które jakby wkręcały się w dziewczynkę. Uśmiechał się, ale ten uśmiech był jakiś dziwny, nieprawdziwy, jakby doklejony do twarzy. Dziewczynka poczuła się nieswojo.

— Sama jesteś? — zapytał, rozglądając się ciekawie po pokoju.

— Tylko z pajacykiem, którego mi podarowałeś — odpowiedziała.

— Podoba ci się? — spytał.

W odpowiedzi kiwnęła potakująco głową.

— Wybrałem go specjalnie dla ciebie, wiedziałem, że ci się spodoba. W moim domu mam wiele wspaniałych zabawek, jakich ty nigdy nie widziałaś. Musisz do mnie przyjść, zobaczysz, jak wspaniale będziemy się bawili.

Dziewczynce nie wiadomo dlaczego propozycja wspólnej zabawy z czarownikiem nie bardzo się spodobała; chyba troszeczkę obawiała się świdrującego spojrzenia.

Nie odpowiedziała więc na zaproszenie, ale zapytała, wskazując na pajacyka:

— Czy on jest prawdziwy?

— Prawdziwy, nieprawdziwy — odparł tajemniczo czarownik.

Zamknął drzwi i usiadł na krześle ustawionym tak, że tarasowało wyjście z pokoju.

— Chodź, usiądź mi na kolanach, nauczę cię wielu sztuczek, nauczę cię czarów — obiecywał.

— Nie, nie chcę — powiedziała dziewczynka i wystraszona odsunęła się jak najdalej od niego. Stanęła przy biurku. Tuż obok stała półka z zabawkami, a dalej okno. Nie było gdzie dalej uciec czy schować się.

— Nie chcę się bawić z tobą — powiedziała odważnie.

W odpowiedzi czarownik tylko zaśmiał się złowrogo i wyciągnął ręce przed siebie, które natychmiast tak się wydłużyły, że bez trudu chwycił ją i boleśnie ścisnął, przyciągając do siebie. Trzymał jak w kleszczach. Wyrwał pajacyka z jej rąk i rzucił w kąt.

— Jesteś już dużą dziewczynką, musisz poznać czary. Nauczę cię wszystkiego — mówił. Jego głos stał się nieprzyjemny, groźny.

Umiejętność czarowania wydała się jej bardzo interesująca, mogłaby robić wszystko, co tylko by chciała.

— Czy, czy, nauczysz mnie bycia niewidzialną, albo wyczarowywania wszystkiego, co tylko zechcę? — zapytała, zacinając się ze strachu.

— Wszystkiego cię nauczę, wszystkiego — przekonywał, sadzając ją sobie na kolanach.

Okropne długie ręce, zakończone długimi spiczastymi paznokciami teraz skróciły się. Spod czarnej peleryny wyciągnął pałeczkę i rozpoczął czary. Dotykał i głaskał ją pałeczką, jakby była lalką, a nie dziewczynką. To było bardzo nieprzyjemne. Zawstydziła się. Nagle jego twarz zrobiła się jakaś straszna, nos zaczął się wydłużać i zamieniać w długi dziób. Kapelusz zsunął się i zobaczyła, że na czubku głowy wyrastają mu czarne pióra, które z wolna pokryły całe ciało. Zamiast rąk miał okropne, czarne pazury. Na jej oczach zamienił się w wielkiego kruka, który był tak blisko niej. Po chwili boleśnie uderzył dziobem.

— Przestań! — zawołała. Ale on trzymał ją wielkimi pazurami, nie puszczał, głuchy na jej prośby i płacz.

— To boli, boli — powtarzała przez łzy. Nagle ogarnęło ją dziwne ciepło, które rozlało się po całym ciele.

Zaczarowuje mnie — pomyślała. Bezwładnie osunęła się na ziemię, przez chwilę widziała wszystko jakby przez mgłę, potem ogarnęła ją ciemność.

Gdy otwarła oczy, leżała na dywanie, nad nią stał czarownik i uśmiechał się, jakby nigdy nic się nie stało. Z trudem wstała z dywanu. Czuła, jakby jej ciało zostało zamrożone. Było jakieś obce, zimne, zdrętwiałe jak drzewo. Była przerażona tym, co się wydarzyło. Czuła się także oszukana przez czarownika: udawał przyjaciela, przynosił zabawki, rozmawiał, obiecywał, że nauczy ją czarować, a tak naprawdę był wstrętnym krukiem, który zadał jej wiele bólu.

— Powiem mamie i tacie, że chciałeś mnie zaczarować, że jesteś kłamcą, że nie jesteś dobry, jak myślałam. Powiem, wszystko im powiem — powtarzała z uporem przez łzy.

Czarownik zaśmiał się.

— Nie uwierzą ci, a zresztą sama chciałaś, bym nauczył cię czarowania. — Pamiętasz? — zapytał.

Zawstydziła się na moment. To prawda, że chciała nauczyć się czarowania, ale nie zgadzała się na takie czary. Podstępnie wykorzystał jej ciekawość.

— Powiem, powiem, że zamieniłeś się w kruka, wszystko powiem — mówiła przez łzy.

— Jeśli mnie lubisz choć trochę, to dochowasz naszej tajemnicy, a ja nauczę cię wszystkiego. Staniesz się najsławniejszą czarodziejką — obiecywał.

Przyglądał jej się uważnie, jego oczy wwiercały się w nią, jakby chciał sprawdzić, czy dotrzyma tajemnicy.

— Nie wierzę ci, znowu mnie okłamujesz — odpowiedziała już trochę mniej pewnie. Może jednak nauczy mnie czarów — pomyślała.

Czarownik, słysząc jej odpowiedź, wpadł w złość.

— Nic nigdy nikomu nie powiesz! Zapomniałaś, że jesteś małą, głupią dziewczynką, a ja potężnym czarownikiem.

Popchnął ją w stronę dużego lustra, które wisiało na ścianie.

— Mnie nie wolno straszyć. Zostaniesz ukarana — powiedział z gniewem.

Pogroził palcem, który jak haczyk zawisł nad jej oczyma. Dziewczynka zrozumiała, że czarownik nie żartuje. Zadrżała.

— No tak — mruczał pod nosem — jedna część ciebie mnie lubi, a druga nie, jedna chce się bawić z czarownikiem i nauczyć sztuki czarowania, a druga nie. Nie dajesz mi wyboru.

W tym momencie dotknął jej ponownie pałeczką. Zdrętwiała, nie mogła poruszyć ręką ani nogą. Tkwiła na środku pokoju nieruchomo jak kukła. On tymczasem zdjął lustro ze ściany, zbliżył je do dziewczynki, tak że poczuła chłód i gładkość szkła. Zobaczyła swoje odbicie tak blisko, że nieomal dotknęła go. Czarownik stanął za lustrem. Na moment straciła go z oczu, po chwili wyłonił się w odbiciu lustra, tak jakby wszedł w nie. Chwycił za rękę jej lustrzane odbicie i wyszedł z lustra, prowadząc je za rękę. Oboje wyszli z niego tak naturalnie, jakby wychodzili z pokoju. Spojrzała w lustro; odbijały się w nim wszystkie meble, zabawki. Jednak w lustrze nie zobaczyła ani siebie, ani czarownika. Tak jakby ich tutaj nie było. To był jej pokój, co do tego nie miała żadnych wątpliwości. Czarownik znowu dotknął jej pałeczką i dziewczynka mogła się poruszyć.

Rozejrzała się. Obok niej stało jej odbicie lustrzane, identyczna bliźniaczka. Dziewczynka chciała coś powiedzieć, ale tylko poruszała wargami, żaden głos nie wydobył się z piersi. Czarownik widząc to, zaśmiał się; bardzo był z siebie zadowolony.

— Rozdzieliłem was. Ty, która mnie nie lubisz, zostaniesz tutaj, nie będziesz potrafiła mówić, zostaniesz już na zawsze niemową. To jest kara za to, że ośmieliłaś się grozić czarownikowi. A ją zabieram, to jest ta część ciebie, która mnie lubi. Będzie mnie zabawiała — powiedział.

Zakrzywionym palcem najpierw wskazywał na nią, a później na tę, którą wyciągnął z lustra.

— Podzieliłem wasze umiejętności, ona dostała mowę, a ty pamięć. Ona będzie potrafiła mówić, ale nic nie pamiętając, nie zdradzi. Ty będziesz wszystko pamiętała i to będzie bardzo bolało, ale nikomu nie będziesz mogła o tym powiedzieć, nikomu.

Zaśmiał się znowu złośliwie.

Zrobiło się nagle ciemno i jakoś tak strasznie. Czarownik schował pod pelerynę jej lustrzane odbicie. Dziewczynka ta zdawała się z tego powodu bardzo zadowolona — uśmiechała się radośnie.

— Będziesz od dzisiaj mieszkała ze mną, w domu pełnym zabawek — powiedział, zwracając się do niej.

— Tak, tak, zabierz mnie do siebie, chcę pobawić się twoimi zabawkami — mówiła, wyglądając spod czarnego ubrania czarownika. On jednak już nie zwracał uwagi na jej szczebiotanie. Podszedł do okna, otworzył je szeroko.

Do pokoju nagle wdarło się zimne powietrze. Za oknem rozpościerała się nieprzenikniona ciemność.

Wskoczył na biurko, rozpostarł pelerynę, jakby przygotowując się do lotu.

Odwrócił się i powiedział do dziewczynki ze złością:

— Już na zawsze będziecie rozdzielone, a ty zostaniesz niemową.

W tej chwili zauważył leżącego w kącie pajacyka.

— Nie zasłużyłaś sobie na prezent — powiedział. Chwycił zabawkę długimi pazurami. I znowu zamienił się w strasznego kruka, po czym wyfrunął przez okno z jej lustrzanym odbiciem i pajacykiem.

Nagle usłyszała kroki. Ktoś zbliżał się do jej pokoju. Serce zabiło jej jak oszalałe. To pewnie znowu on — pomyślała z lękiem.

W drzwiach stanęła mama.

— Jak tutaj ciemno i zimno — powiedziała. — Dlaczego otwarłaś okno?

Nie doczekawszy się odpowiedzi, mówiła dalej.

— Cieszę się, że czarownik kupił ci takiego pięknego pajacyka. Jaki on jest miły! Dlaczego nie odpowiadasz? Ty chyba jesteś niewdzięczna! Nawet nie wiem, czy podziękowałaś za prezent! Dlaczego nie odpowiadasz? Ach, ty rozkapryszona dziewczynko. Może jesteś śpiąca? Tyle było miłych wrażeń dzisiaj. Wskakuj do łóżeczka, a jutro porozmawiamy. — To mówiąc, mama zamknęła okno i wyszła z pokoju.

Dziewczynka została sama. Co robić? Tysiące myśli przelatywało jej przez głowę. Nie mogła jednak mówić, a tak bardzo chciała powiedzieć, wykrzyczeć, że nie lubi podstępnego czarownika, że on tylko udaje przyjaciela, a naprawdę jest okrutnym krukiem, który nie tylko zadał jej ból, rozdzielił na dwie części, ale i uczynił z niej niemowę. Ogarnął ją wielki smutek, tak wielki, że nie mogła nawet płakać. Siedziała nieruchomo na łóżeczku, tak jakby to ona była lalką. Każdy szelest, skrzypnięcie na schodach wywoływało strach, że znowu czarownik się zbliża. Wypowiedziała wojnę groźnemu czarownikowi, ona, mała dziewczynka, a on z zemsty zabrał jej mowę, okaleczył. Czy jest jakiś sposób, by się z jego czarów wyzwolić? Zastanawiała się, co teraz powinna zrobić. Jednak żaden pomysł nie przychodził jej do głowy... I tak minęła noc, podczas której nie zmrużyła oka.

Rano mama jak bomba wpadła do pokoju i powiedziała:
— Ubieraj się szybko! Zaspałam i nie zdążę na czas do pracy. Tato wyjechał na delegację. Zostaniesz sama w domu, tylko pamiętaj, nie spóźnij się do szkoły. W kuchni na stole obok śniadanka jest budzik — zadzwoni, kiedy nadejdzie pora wychodzić do szkoły. Zamknij mieszkanie i do zobaczenia po południu.

Mama pocałowała dziewczynkę i szybko zbiegła po schodach. Trzaśnięcie drzwi znaczyło, że została zupełnie sama w domu. Niechętnie wstała z łóżeczka i poszła do kuchni. Nie miała apetytu. Próbowała raz po raz wydobyć z siebie głos, niestety, czary działały, nie mogła mówić. Usiadła przy stole zrezygnowana, podpierając się ręką. Spojrzała przez okno. Przechodzili ludzie, jeździły samochody, dzień jak każdy inny. Nagle zauważyła czarownika. Zatrzymał się przy furtce ich domu, rozejrzał się dookoła, jakby obawiał się, że ktoś go zobaczy. Wybiegła z kuchni i schowała się w małej skrytce pod schodami. Zadzwonił dzwonek.

Pewnie sprawdza, czy są rodzice — pomyślała.

Po skrzypieniu drzwi zorientowała się, że czarownik wszedł do mieszkania. Usłyszała jego kroki. Zadrżała. Starała się wstrzymywać oddech. Wbiegł szybko po schodach do jej pokoju. Wiedziała, że szukając jej, zajrzał do kuchni, a potem do wszystkich pokoi. Słyszała otwieranie i zamykanie kolejnych drzwi. Po chwili te wejściowe zamknęły się z trzaskiem. Wyszedł. Dziewczynka odetchnęła i wyszła z ukrycia. Była spocona ze strachu.

Czy on będzie mnie zawsze prześladował, czy ja nigdy nie odzyskam mowy? — zastanawiała się. Muszę spróbować się wyzwolić, bo jeśli tego nie zrobię, to on dalej będzie mi zagrażał i już na zawsze zostanę niemową — pomyślała.

Muszę odnaleźć tę część mojej osoby, którą mi zabrał, muszę odnaleźć tę, która mówi. On najbardziej boi się tego, że innym odkryję prawdę o tym, że jest złym czarownikiem. Znam jego tajemnicę. To dlatego tutaj wrócił i mnie szukał. Chce mnie zastraszyć i upewnić się, że nikomu nie potrafię się poskarżyć.

Znowu poczuła nieprzyjemny dreszcz lęku. Muszę odnaleźć dom czarownika, zabrać stamtąd moje odbicie, pokazać wszystkim, co on robi. Może wówczas uda mi się odzyskać mowę? — pomyślała. Wiedziała, że musi spróbować. I mimo że bardzo się bała, ostrożnie uchyliła drzwi wejściowe i wyjrzała na ulicę.

Czarownik zbliżał się już do skrzyżowania, skręcił w lewo i straciła go z oczu. Nie zastanawiając się dłużej, zatrzasnęła za sobą drzwi i wyszła z domu. Biegła w kierunku przecinających się ulic, jak tylko potrafiła najszybciej. Na rogu zatrzymała się i wyjrzała. O, jest — pomyślała z ulgą, wypatrzywszy jego postać. Teraz w bezpiecznym oddaleniu szła za nim krok w krok. Czarownik wchodził do niektórych mieszkań, wówczas czekała na niego ukryta za drzewem lub w bramie sąsiedniego domu. Trwało to bardzo długo. Zbliżał się wieczór. Lampy skąpo rzucały światło. Zapadał mrok. Coraz mniej ludzi mijała na ulicy. Była już bardzo zmęczona, śledziła jednak czarownika nieustannie, ponieważ tylko idąc za nim, mogła dowiedzieć się, gdzie mieszka. Teraz skierował się w stronę przedmieścia. Domy tutaj stały rzadziej, oddzielone ogródkami. Ulica, którą zmierzał, kończyła się, w oddali majaczył las.

Gdzie on mieszka? — zastanawiała się dziewczynka. Nagle skręcił w bok, wszedł w bramę i zniknął jej z oczu. Podeszła bliżej i zobaczyła stary, zaniedbany dom ukryty w ogrodzie. Od bramy wiła się ścieżka prowadząca do wejścia. Przezwyciężając strach, delikatnie, by nie hałasować, otworzyła metalową bramę i ostrożnie podeszła pod okno. Wspięła się na palce i zajrzała do środka.

Czarownik zapalił światło i oczom dziewczynki ukazał się wielki pokój pełen zabawek. Na półkach, na podłodze siedziały i leżały pajace, lale wielkości dzieci. Były nieruchome, jakby zastygłe w ruchu. On tymczasem zdjął pelerynę i kapelusz. Rozpalił ogień w kominku. Później podchodził do każdej zabawki i dotykając pałeczką, ożywiał ją. Po chwili cały pokój wypełnił się gwarem, hałasem poruszających się postaci. Nagle zobaczyła samą siebie. Tak, to ona, a właściwie jej bliźniacza połowa, ta odbita w lustrze, poruszała się pośród wielu innych.

To nie są lalki, to zaczarowane, rozdzielone dzieci. On je tutaj więzi, unieruchamia i bawi się nimi, kiedy ma ochotę. One są jego zabawkami! — pomyślała z przerażeniem.

Zza okien dochodziła muzyka, zaczęły się tańce. Wszystkie kukły tańczyły w rytm ruchów czarownika, było to jakieś nienaturalne. Ich usta wyglądały na uśmiechnięte, ale oczy miały smutne. One wcale się nie cieszą, że tutaj są — spostrzegła. Dlaczego nie uciekną? Nagle przypomniała sobie, że czarownik, gdy ją rozdzielał, to jej zabrał mowę, a tamtej pamięć. One widocznie również są tak okaleczone. I dlatego nie mogą szukać swoich bliskich. Zabrał im pamięć, uczynił kukłami. Jakie to straszne. Zamarła z przerażenia. To cudownie, że ja wiem, kim jestem, że pamiętam, co się wydarzyło. Nagle uświadomiła sobie, że tylko ona może im pomóc. Spróbuję tego dokonać — postanowiła.

Nie wiedziała, jak może to zrobić, bała się, ale tego, że musi podjąć nierówną walkę z czarownikiem, była pewna. Nagle na jej oczach zaczął zmieniać się w kruka. Na czubku głowy pojawiły się czarne pióra, twarz przeobrażała się w łeb straszliwego ptaka z ogromnym, drapieżnym dziobem. Przerażona rzuciła się do ucieczki, by jak najdalej być od tego potwora. Biegnąc, potknęła się o coś miękkiego i przewróciła, boleśnie odzierając do krwi kolana. Podnosząc się, zobaczyła lalkę. Ależ tak, to przecież był jej mały pajacyk! Teraz leżał na ziemi. Był aż lepki od błota, poszarpany, niepodobny do tego, którego podarował jej czarownik, a jednak to był on. Poznała go po smutnych, malowanych oczach. Przytuliła do siebie. Drzwi domu nagle otworzyły się i stanął w nich czarownik. Widocznie usłyszał jakiś hałas, który go zaniepokoił, bo rozglądał się dookoła. Przylgnęła mocno do ziemi. Serce biło w piersi jak oszalałe ze strachu — bom, bom... Na szczęście jej nie zauważył, bo po chwili drzwi zamknęły się. Światło zgasło w całym domu. Otarła pot z czoła i w ciemnościach, najciszej jak potrafiła, wymknęła się z ogrodu. Wracała biegiem, trzymając w objęciach pajacyka.

Zdyszana znalazła się przed swoim domem. Chciała niespostrzeżenie dostać się do swego pokoju. Delikatnie nacisnęła klamkę od drzwi wejściowych i wpadła wprost w ramiona mamy.

— A cóż to się stało? Jaka jesteś wybrudzona. Jak ja się o ciebie niepokoiłam, gdzie byłaś, ach ty niedobra dziewczynko — mówiła bardzo zdenerwowana i rozgniewana jej długą nieobecnością mama. — Marsz do łazienki, potem porozmawiamy — rozkazała.

Dziewczynka posłusznie umyła się, a potem czym prędzej położyła się do swego łóżeczka. Zacisnęła mocno powieki, gdy mama weszła do pokoju. Udawała, że śpi, bo jak mogłaby odpowiedzieć na jej pytania? Podstęp się udał. Mama sądząc, że jej córeczka usnęła, wyszła po chwili na paluszkach z pokoju. Dziewczynka długo nie mogła zasnąć, obraz czarownika co chwilę zjawiał się przed oczyma. Im bardziej się przed tymi wspomnieniami broniła, z tym większą siłą powracały.

Wiele godzin przewracała się na łóżku. Kilka razy w nocy wstawała, by przekonać się, czy okno jest zamknięte. Wszędzie panował spokój, cisza, ale to jej wcale nie uspokajało. Nareszcie zmęczona zasnęła.

Rano, budząc się, wyciągnęła całe ciało, ziewnęła. Jaki straszny sen miałam — pomyślała — zaraz opowiem mamie. Próbowała zawołać: mamo, mamo, ale żaden dźwięk z jej ust się nie wydobył. Obok łóżeczka leżał pajacyk; był brudny, ubranko miał poszarpane. Włosy stanęły jej dęba, serce mocno zabiło w piersi ze strachu. Zrozumiała, że to nie był sen, wszystko zdarzyło się naprawdę. Zastanawiała się, co powie mama, gdy zobaczy, że jej córka nie może mówić. Dłużej już nie uda się tego ukryć. Ubrała się szybko. Chwyciła w objęcia pajacyka i w tym momencie usłyszała dochodzącą z dołu rozmowę. Tak, to był czarownik, który rozmawiał z mamą. Poznała jego głos od razu. Co robić? Schować się w swoim pokoju? A może lepiej posłuchać, co mówi i przekonać się, jakie ma zamiary, co znowu knuje. Jeśli chce go zwyciężyć, nie może uciekać. Wolno więc, na paluszkach, schodziła po schodach. Uważała, by nie zaskrzypiały i nie zdradziły jej obecności.

W przedpokoju, na wieszaku zobaczyła czarną pelerynę. Z kieszeni wystawała pałeczka.

Zabiorę ją, pobiegnę do jego domu, odczaruję moje odbicie i przyprowadzę tutaj, wówczas mama, gdy zobaczy nas obydwie, na pewno zrozumie i mi pomoże — pomyślała.

Zmierzając w kierunku przedpokoju, musiała przejść obok uchylonych drzwi, za którymi siedzieli mama i czarownik. Ostrożnie zajrzała do pokoju i zobaczyła czarownika rozpartego w fotelu, zajętego rozmową z mamą. Spróbowała pochylona niepostrzeżenie przejść, żeby dostać się do wieszaka, gdzie wisiała peleryna, w której kieszeni tkwiła czarodziejska pałeczka. Już, już miała minąć drzwi, gdy nagle czarownik się odwrócił.

— A dokąd to się wybieramy? — zapytał przymilnym tonem.

Dziewczynka stanęła jak wryta, milczała.

Mama tymczasem, zwracając się do czarownika, powiedziała: — Moja córeczka ostatnio bardzo się zmieniła, wychodzi z domu na wiele godzin, nie mówi, gdzie przebywa, zupełnie jej nie rozumiem. Martwię się tym bardzo.

— Tak, tak — pokiwał głową czarownik. Dzieci teraz są bardzo trudne. Jak będzie trzeba, to chętnie pomogę w jej wychowaniu. Wiesz, jak was i ją kocham — dodał obłudnie.

— Proszę, chodź tutaj i porozmawiaj z wujkiem — to mówiąc, zwrócił się do dziewczynki.

Jak on tak może kłamać! Dziewczynka nie ruszyła się z miejsca.

— Sam widzisz, jaka jest niewdzięczna. Tyle zabawek jej przynosisz, a ona nawet ci nie podziękuje. Jak możesz się tak zachowywać, doprawdy wstyd mi za ciebie. A co zrobiłaś z nową zabawką? — mówiła z przyganą w głosie zatroskana mama.

Czarownik spojrzał na pajacyka, którego trzymała w rękach. Zmrużył oczy i wówczas dziewczynka zrozumiała, że on już wie, iż to ona była wczoraj pod jego domem. Wstał i ruszył w jej kierunku. Rzuciła się do ucieczki w stronę wyjścia. Chwyciła wystającą z kieszeni peleryny pałeczkę i już jej nie było.

Biegła co sił w nogach, oglądając się co chwilę za siebie. Czarownika nie zobaczyła. Widocznie rozmawia dalej z mamą, by niczego się nie domyśliła. Potem uda się do swego domu i tam będzie na mnie czekał, wiedząc, że się pojawię, szukając swojego odbicia, tej z nas, która potrafi mówić. Wie, że pojawienie się dwóch takich samych dziewczynek odkryje jego sekret — pomyślała. Ale nie wie, że ona ma pałeczkę czarodziejską, inaczej już by ją gonił. Uspokoiła się tym odkryciem. Przycisnęła do siebie pajacyka i dalej biegła bardzo szybko, wiedząc, że czas działa na jej niekorzyść. Po chwili znalazła się przed domem czarownika, pchnęła furtkę i podeszła do drzwi. Nacisnęła klamkę. Drzwi były zamknięte.

Cóż robić? — pomyślała. Bezradnie rozglądnęła się dookoła, szukając klucza. Jej wzrok padł na pałeczkę. A może by wypróbować to czarodziejskie narzędzie? Nie zastanawiając się dłużej, uderzyła pałeczką w drzwi. Otwarły się ze straszliwym zgrzytaniem. Dziewczynka weszła do środka. Drzwi ponownie się zatrzasnęły. Rozejrzała się dookoła. Było ciemno i tak jakoś nieprzyjemnie.

Znajdowała się w korytarzu; otwarła pierwsze drzwi i zobaczyła ten sam pokój, który wczoraj widziała przez okno. Na półkach siedziały i leżały unieruchomione dzieci. Na środkowej ścianie pokoju stał kominek, w którym palił się ogień. Dziewczynka podchodziła po kolei do każdej postaci i dotykała jej pałeczką. W tym momencie lalka lub pajac ożywiali się i rozpoczynali taniec, mimo że w pokoju nie grała muzyka. To było bardzo nieprzyjemne patrzeć na dziwne pląsy ożywionych dzieci.

Na koniec zbliżyła się do ostatniej już kukły, w której rozpoznała siebie. Ona także rozpoczęła ten dziwny taniec w takt niesłyszalnej muzyki. Dziewczynka chciała krzyknąć: Przestańcie!, ale głos nie wydobył się z jej piersi. Podbiegła do swojego odbicia, chwyciła je za ręce,

Mikołaj Smolibowski, lat 6

spojrzała w oczy, które były jakieś obce, nieswoje. Rozejrzała się po pokoju. W rogu stało lustro. Było wielkie i ciężkie. Położyła na półce pajacyka, chwyciła lustro obiema rękami i z wielkim wysiłkiem zaczęła przenosić je w kierunku swego odbicia. Nareszcie stanęła przed nim z lustrem. Po chwili wyjrzała zza niego i zobaczyła, że jej odbicie wolno zbliża się do lustra. Zatrzymała się na moment, spojrzała w oczy dziewczynce, tak jakby dając znak, że wszystko zrozumiała, po chwili wróciła do lustra. Ponownie stała się lustrzanym odbiciem.

— Czyżbym odczarowała siebie? — wyszeptała. Słysząc swój głos, aż podskoczyła z radości.

— Udało się, udało się! Już nie jestem w mocy złego czarownika! — krzyczała głośno. Mogła mówić, zwyciężyła. Odkryła też sposób na odczarowanie. Wystarczy ustawić się na wprost lustra i wówczas dwie rozdzielone części mogą się połączyć, jedna z powrotem stanie się odbiciem lustrzanym, a druga prawdziwą osobą, która pamięta wszystko, potrafi mówić, być znowu sobą i w ten sposób wyzwolić się z mocy złego czarownika.

Nie było jednak czasu na dalsze radosne rozważania, bo w każdej chwili mógł nadejść czarownik. Dziewczynka wiedziała, że musi jak najszybciej zabrać stąd te dzieci. Już chciała je wyprowadzać, gdy usłyszała dziwny hałas. Podbiegła do okna i zobaczyła, że czarownik dobija się do drzwi. Nie mógł ich jednak otworzyć, nie miał przecież zaczarowanej pałeczki. Podszedł do okna. Zobaczyła jego wykrzywioną złością twarz.

Poczuła znowu dreszcz strachu, który ją sparaliżował. On tymczasem wybił szybę, otworzył okno i wskoczył do pokoju.

— Oddaj pałeczkę! — krzyknął i zbliżył się do niej,

wyciągając swe długie ręce. Dziewczynka jednak nie uciekała. Przeciwnie, także skierowała się w jego stronę. Na moment zatrzymał się, ze zdziwienia zamarł w bezruchu i wtedy dotknęła go pałeczką. Wówczas na jej oczach zaczął się zamieniać w czarnego kruka. Przerażona rzuciła pałeczkę w sam środek ognia palącego się w kominku. Wtedy kruk podskoczył do paleniska i spróbował wyciągnąć rozżarzoną do czerwoności pałeczkę. Wtedy nastąpił straszliwy wybuch. Dziewczynka siłą podmuchu wyrzucona została pod ścianę. Kominek zawalił się, a w suficie zrobiła się wielka dziura, tak ogromna, że można było zobaczyć przez nią chmury.

Gdy opadł kurz, zobaczyła, że inne dzieci podnoszą się z ziemi i otrzepują swoje ubrania. W tym miejscu, gdzie dawniej stał kominek, leżały nadpalone trzy krucze pióra. A więc taki koniec spotkał złego czarownika.

W kącie pokoju leżał pajacyk. Dziewczynka podniosła go, przytuliła i powiedziała:

— Dziękuję, dodawałeś mi sił w walce z czarownikiem. Nie mówiłeś, tak jak ja, ale widziałeś wszystko, dawałeś mi pewność, że to, co się wydarzyło, nie było złym snem.

Wyszła z domu, a za nią pozostałe dzieci. Wokół zgromadził się tłum sąsiadów i przypadkowych przechodniów.

Wszyscy pytali, co się stało. Skąd tutaj tyle dzieci, gdzie podział się czarownik?

Na sygnale przyjechała policja. Z samochodu wysiadło dwoje ludzi: młoda policjantka i starszy, wąsaty policjant.

— Czy ktoś mógłby nam powiedzieć, co tutaj się wydarzyło? — zapytał policjant.

— Tak, ja — odezwała się dziewczynka.

Tłum ciekawskich gapiów zaczął otaczać ich ciasnym kręgiem.

— Proszę do radiowozu — powiedział policjant.

— Dobrze, ale proszę również zabrać te dzieci — po-prosiła.

— Zawieziemy je na komisariat i odnajdziemy ich rodziny — wyjaśnił policjant.

— Pomogę, wiem, jak wrócić im pamięć i połączyć ponownie w jedną całość — zapewniała dziewczynka.

— Nic nie rozumiem, jaka pamięć, jakie połączenie? — mruczał pod nosem, a właściwie pod wąsem policjant.

— Zaraz poproszę policjantkę, ona wie, jak się rozmawia z dzieciakami.

Po chwili podeszła do nich młoda pani w mundurze:

— Młodszy aspirant melduje się. — Tu zaśmiała się i oznajmiła: — Mam na imię Hania. Proszę, opowiedz mi wszystko.

— A czy pani mi uwierzy? Tyle dziwnych rzeczy się wydarzyło — z niepokojem pytała dziewczynka.

— Oczywiście, codziennie dzieją się niezwykłe wydarzenia, wprost nieprawdopodobne, i my wiemy, że niestety, są one prawdziwe. Pojedziemy na komendę i tam wszystko sobie wyjaśnimy, zgoda? — spytała. — Tutaj nie można spokojnie porozmawiać — dodała.

Rzeczywiście, tłum ciekawskich coraz bardziej gęstniał i otaczał ich szczelnym murem.

Dziewczynka uspokoiła się. Była zadowolona, że policjantka nie bagatelizuje jej wyjaśnień, że ją rozumie. Miała nadzieję, że pomoże jej w odczarowaniu dzieci.

Po chwili wszyscy razem pojechali na komendę. I tam dziewczynka długo opowiadała policjantce, co jej się przydarzyło. A ona początkowo uważnie słuchała, a potem zadawała wiele pytań. Zainteresował ją też sposób odczarowywania dzieci.

— Czy wiesz, jak możemy pomóc tym dzieciom? — spytała.

— Jest jeden, jedyny sposób, trzeba znaleźć ich rozdzielone połowy — odpowiedziała.

— Wybacz, ale nie rozumiem. — Policjantka na znak bezradności rozłożyła ręce.

— Dzieci zostały rozdzielone na dwie części. Te, które tutaj są, potrafią mówić. Musimy odnaleźć te, które wszystko pamiętają i ponownie za pomocą lustra połączyć je — wyjaśniała dziewczynka.

— Ale jak odnajdziemy tamte? Może te, które są tutaj, coś pamiętają? — zastanawiała się policjantka. — Chodźmy do nich — zaproponowała.

Obydwie poszły do dużej sali, gdzie przebywały dzieci, które w dalszym ciągu tańczyły, poruszając się mechanicznie, jakby były nakręcane. Policjantka zaklaskała w dłonie i spytała:

— Gdzie mieszkacie, czy pamiętacie waszych rodziców?

Dzieci na chwilę się zatrzymały i jakby w ogóle nie słysząc pytania, mówiły:

— Gdzie czarownik, czy przyjdzie? Tańczmy, tańczmy.

I ponownie zaczęły poruszać się w takt nieistniejącej muzyki.

Widząc to, policjantka bardzo się zmartwiła. Jeśli nawet miała wcześniej jakieś wątpliwości, to teraz ostatecznie upewniła się, że dzieci są zaczarowane i tylko odczarowana dziewczynka może im pomóc.

— Co robić, co robić? — zastanawiała się.

— Może damy ogłoszenie w prasie, radiu, w telewizji

o treści: „Przyjaciele czarownika proszeni są o zgłoszenie się na komendę wraz ze swoimi dziećmi" — zaproponowała dziewczynka.

— Tak, to wspaniały, genialny pomysł! — krzyknęła ucieszona policjantka.

Po nadaniu komunikatów na komendę zaczęli przychodzić rodzice z dziećmi. Policjantka wybierała te spośród nich, które nie potrafiły mówić, i prowadziła je do dziewczynki, która posługując się lustrem, łączyła identyczne postacie z powrotem w jedną całość. I tak, po kolei wszystkie dzieci zostały odczarowane. Ach, ile było radości, uścisków, podziękowań! Wszystkie opowiadały o swoich straszliwych przygodach z czarownikiem, cieszyły się, że nareszcie są sobą. Obiecywały sobie, że spotkają się ponownie, by porozmawiać o swoich przeżyciach. Opuszczały kolejno komendę, wracały do swoich domów.

Dziewczynka została sama. Poczuła się zmęczona, pragnęła odpocząć. Tyle dzisiaj się wydarzyło, tyle ważnych spraw zostało rozwiązanych!

Muszę opowiedzieć o wszystkim mamie. Muszę jak najszybciej wrócić do domu — pomyślała.

Wychodząc z pokoju, w drzwiach natknęła się na wąsatego policjanta.

— Czeka jeszcze jedna kobieta, mówi, że znała czarodzieja i że jej córka do tej pory nie wróciła do domu. Bardzo się tym martwi. Czy porozmawiasz z nią? — spytał.

— Spieszę się do domu, ale nie mogę odmówić pomocy, proszę ją tutaj przyprowadzić — odpowiedziała dziewczynka.

W drzwiach stanęła mama. Rzuciły się sobie w objęcia. Opowieściom nie było końca. Mama co chwilę ściskała i całowała córeczkę. Taka mała dziewczynka, a nie bała się złego czarownika, potrafiła mu się przeciwstawić i zwyciężyła.

Policjantka i jej wąsaty kolega z uznaniem kiwali głowami, jeszcze raz słuchając jej opowieści.

— Dzielna dziewczynka, bardzo dzielna — powtarzali.

Później szczęśliwe, razem z pajacykiem, mama wraz z córeczką wróciły do domu.

MEDIA RODZINA poleca

Maria Molicka
BAJKI
TERAPEUTYCZNE

format 145 x 205 mm
stron 208
oprawa miękka foliowana
ISBN 83-85594-89-2
cena detaliczna 22,-

Maria Molicka
BAJKOTERAPIA
O lękach dzieci i nowej
metodzie terapii

format 145 x 205 mm
stron 222
oprawa miękka foliowana
ISBN 83-7278-041-2
cena detaliczna 22,-